Gerhard Poggenpohl
Christoph Haller

20 Jahre 40 bleiben
Energy-Food

Mit Energy-Food gesund und leistungsfähig 4

Was ist Energy-Food? 5
Vitamine – Stoffe für das Leben 7
Vitamine brauchen Wasser oder Fett 9
Fettlösliche Vitamine 10
Wasserlösliche Vitamine 12
Mineralstoffe – unentbehrlich für den Körper 18
Mengenelemente 20
Spurenelemente 22

Energy-Food in der Praxis 26

Der richtige Einkauf 27
Die richtige Zubereitung 29

Kleine Leckereien – die Energiespritze für zwischendurch 32

Mangodrink 33
Orangen-Müsli 33
Erdbeer-Müsli 34
Frischkäse-Aufstrich 34
Gemischter Salat mit pochiertem Ei 36
Bunter Kartoffelsalat 37

Inhaltsverzeichnis

Salat mit Putenstreifen 39
Feldsalat mit Birne 40
Erdbeer-Spargel-Salat 41
Weintrauben auf Feldsalat 42
Lachstatar auf Friséesalat 43
Sandwich mit Ei und Krabben 44
Kalte Tomatensuppe 45
Kalte Gurkensuppe 46
Winter-Fruchtsalat mit Avocadosahne 47
Omelett mit Quark und Früchten 48

Schlemmerrezepte zum Energietanken 50

Grüne Bohnen pikant	51
Rotwein-Quiche	52
Gemüse-Mozzarella-Auflauf	54
Birnen-Käse-Auflauf	55
Nudeln mit Brombeersauce	56
Blumenkohl-Auflauf	58
Pilz-Sauerkraut	59
Provençalisches Gemüse-Allerlei	60
Kartoffelpüree mit Endiviensalat	61
Brokkoli-Blumenkohl-Auflauf	62
Bratwurst auf Rahmwirsing	63
Schweinefilet mit Fenchel im Teigbett	64
Leber mit Sternanis	66
Hühnerleber mit Orangensauce	67
Gefülltes Rinderfilet auf Fenchelgemüse	68
Rosenkohl mit Lammkoteletts	70
Kalbsfrikassee mit frischen Erbsen	71
Entenbrüstchen auf Grünkohl	72
Rotkohl mit Putenkeule	73
Estragon-Hähnchen mit Fenchel	74
Rotbarsch mit grünen Bohnen	75
Gedünstete Lachsforelle auf Gartengemüse	76
Fischtopf	78

Register	79
Impressum	80

Energy-Food – das steht für eine ausgewogene Ernährung mit ausreichend Vitaminen, Mineralstoffen und Spurenelementen. Denn diese lebenswichtigen Nährstoffe sorgen dafür, dass wir fit und gesund sind und bleiben. Fühlen Sie sich z. B. häufig müde und schlapp oder neigen Sie zu Krämpfen? Sind Sie unausgeglichen oder schnappen jeden Krankheitserreger auf, der vorbeifliegt? Haben Sie blasse oder unreine Haut und glanzlose Haare? Dann nehmen Sie einmal Ihre Ernährungsgewohnheiten unter die Lupe. Denn nur, wenn Sie genügend Vitalstoffe zu sich nehmen, bekommen Körper und Geist die Energie, die sie brauchen. Warum das so ist, erfahren Sie auf den folgenden Seiten.

Mit Energy-Food
gesund und leistungsfähig

Was ist Energy-Food?

Die Lebensmittel, die wir täglich zu uns nehmen, dienen zur Energiegewinnung sowie zum Aufbau und Ersatz körpereigener Substanzen. Dank der modernen medizinischen Forschung wissen wir heute, dass der Mensch nicht nur Kohlenhydrate, Eiweiße und Fette braucht, um seinen Energiebedarf zu decken. Er benötigt ständig mehr als 50 verschiedene Stoffe, um seine Gesundheit und sein Leistungsvermögen aufrecht zu erhalten. Diese Stoffe gelten als lebensnotwendige (essenzielle) Nahrungsbestandteile und sind in dem Begriff Vitalstoffe zusammengefasst. Dazu gehören vor allem Vitamine, Mineralstoffe und Spurenelemente, Eiweißbausteine und Fettsäuren.

Unter anderem sind diese Stoffe wichtig für viele Stoffwechselprozesse, durch welche Kohlenhydrate, Eiweiße und Fette aufbereitet werden, damit der Körper die benötigte Energie daraus erhält. Die meisten Vitamine und Mineralstoffe können nicht im Körper hergestellt werden und müssen von außen zugeführt werden – durch Essen und Trinken.

Unsere Nahrung hat eine sehr unterschiedliche Zusammensetzung hinsichtlich ihres Gehaltes an Vitaminen und Mineralstoffen. Darum sollten Sie bewusst auswählen, was Sie zu sich nehmen.

Wechselwirkung der Vitalstoffe

Für unser allgemeines Wohlbefinden sind sämtliche Vitalstoffe wichtig, und zwar in ganz bestimmten Kombinationen. Jeder Stoff hat spezielle Nährstoffpartner, mit denen er in vielerlei Abhängigkeiten und Wechselwirkungen steht. So können zum Beispiel viele Vitamine ohne Hilfe der Mineralstoffe nicht aufgenommen werden.

- Das Vitamin E schützt Vitamin A vor der Zerstörung durch Sauerstoff (Oxidation). Zusätzlich greift Vitamin E regulierend in die Vitamin-A-Versorgung ein, sodass keine Überversorgung mit Vitamin A möglich ist.
- Vitamin A und Vitamin D wirken im Stoffwechsel der Knochen.
- Selen ist ein unentbehrlicher Partner von Vitamin E.
- Kobalt ist ein zentraler Bestandteil von Vitamin B_{12}.
- Eisen kann nur in Gegenwart von Vitamin C effektiv aus dem Darm aufgenommen werden.

Mangel an Vitaminen und Mineralstoffen

Heutzutage besteht trotz übervoller Teller leider immer öfter die Gefahr eines Mangels an Vitalstoffen. Der häufigste Grund ist eine einseitige Ernährung. In der Hektik des Alltags essen wir unregelmäßig, manche wichtige Lebensmittel nehmen wir gar nicht zu uns – aus Nachlässigkeit oder weil wir sie nicht mögen. Auch können bestimmte Umstände und Belastungen zu einem erhöhten Bedarf an bestimmten Stoffen führen. Dies gilt z. B. für Jugendliche oder Senioren, für Menschen, die viel Stress ausgesetzt sind, für Schwangere und für stillende Frauen.

Vitamine und Mineralstoffe gezielt einsetzen

Vitamin E kann den Alterungsprozess der Zellen verlangsamen und sorgt dadurch für eine schöne Haut und einen wachen Geist.

Umgekehrt können wir mit bewusster Ernährung manche Situationen besser meistern, indem wir uns gezielt mit den entsprechenden Stoffen versorgen. Wenn ein wichtiger Termin bevorsteht, können Nüsse und Vollkornprodukte dafür sorgen, dass wir fit sind. Das in den Vollkornprodukten enthaltene Eisen fördert die Konzentration, und die B-Vitamine in den Nüssen sind unentbehrlich für die Gehirnfunktionen. Im Winter kann die verstärkte Einnahme von Vitamin C so manchen Infekt abwehren, denn es stärkt das Immunsystem. Dies gilt auch für Zink, das ebenfalls langfristig Infektionen verhindert. Und wer ausreichend Vitamin E zu sich nimmt, bleibt sowohl geistig als auch körperlich fit.

 **Gut zu wissen**

Tabletten und Dragees als Ersatz?

Leider lassen sich Defizite in der Ernährung nicht einfach mit Vitamin- und Mineralstoff-Ergänzungspräparaten decken. Sie sind oft hoch dosiert, doch ihnen fehlt das Zusammenspiel mit den anderen Wirkstoffen, die die Aufnahme im Körper erst ermöglichen. Darum ist es bei Mangelerscheinungen nicht sinnvoll, einfach nur einzelne Stoffe zu sich zu nehmen. Wenn Sie den Mangel nicht mit Nahrungsmitteln ausgleichen können, sollten Sie sich beraten lassen und die Kombinationen individuell zusammenstellen.

Vitamine – Stoffe für das Leben

Man unterscheidet 13 verschiedene Vitamine. Es handelt sich dabei um natürlich vorkommende, organische Verbindungen, die zwar chemisch keiner einheitlichen Stoffgruppe angehören, doch trotzdem alle etwas gemeinsam haben: Es sind lebensnotwendige Stoffe.

Was sind Vitamine?

Vitamine sind Vermittler bzw. Auslöser von Stoffwechselvorgängen, aus denen der Körper letztlich seine Energie bezieht. Sie katalysieren chemische Reaktionen, ohne selbst jedoch Energie zu liefern. Obwohl nur sehr kleine Mengen an Vitaminen notwendig sind, kann der Körper sie nicht oder nur in unzureichendem Maße selbst herstellen. Deshalb müssen Vitamine mit der Nahrung zugeführt werden.

Woher bekommen wir Vitamine?

Die wichtigsten Vitaminproduzenten sind Pflanzen. Darin werden meist Vorstufen von Vitaminen gebildet, die so genannten Provitamine. Diese natürlich vorkommenden Verbindungen werden mit der Nahrung aufgenommen und können im Körper von Tier und Mensch zu wirksamen Vitaminen umgewandelt werden. Unsere wichtigsten Vitaminlieferanten sind darum sowohl pflanzliche als auch tierische Nahrungsmittel. Leider gibt es kein Lebensmittel, das alle erforderlichen Vitamine in ausreichender Menge und im richtigen Verhältnis enthält. Nur eine gemischte und abwechslungsreiche Kost liefert Ihnen alle Vitamine, die Sie benötigen.

Die Provitamine, die wir mit pflanzlicher Nahrung aufnehmen, können in unserem Körper auf einfache Weise zu Vitaminen umgewandelt werden.

Vitamine aus tierischer Kost können besser verwertet werden als die aus pflanzlichen Nahrungsmitteln. Daran sind in erster Linie einige für Pflanzen typischen Inhaltsstoffen schuld, z. B. Zellulose und Lignin, welche die Aufnahme der Vitamine sehr erschweren. Werden diese Nahrungsmittel allerdings mechanisch (z. B. durch Schneiden oder Pressen) und/oder durch Hitze (Kochen) »aufgeschlossen«, kann unser Organismus die Vitamine problemlos aufnehmen.

Was können Vitamine?

Einzelnen Vitaminen wird zuweilen eine fast wunderbare Wirkung zugeschrieben, sie sollen manchen Berichten zufolge alles – von Erkältungen bis hin zum Krebs – heilen können. Doch Vitamine können nur solche Krankheiten mit Sicherheit heilen, die auf einen Mangel an Vitaminen bzw. deren Fehlen zurückzuführen sind.

Wunderheilmittel sind sie also nicht, aber sie können vielleicht doch einige bemerkenswerte Dinge vollbringen. Beispielsweise haben manche Vitamine (A, C und E sowie das Provitamin Beta-Karotin) möglicherweise eine vorbeugende und therapeutische Langzeitwirkung bei degenerativen Erkrankungen wie Arteriosklerose, Krebs, grauer Star, Parkinson und Alzheimer.

Vitamine sind keine Wunderheilmittel; doch sie haben bei vielen Krankheiten vorbeugende und lindernde Wirkung.

Radikalenfänger und Antioxidanzien

Die Vitamine A, C und E werden auch als Radikalenfänger und als Antioxidanzien bezeichnet. Freie Radikale sind aggressive Sauerstoffverbindungen, die im Körper bei ganz normalen Stoffwechselprozessen (Oxidation) wie auch durch äußere Einflüsse entstehen. So werden z. B. durch UV-Strahlung der Sonne, durch Umweltschadstoffe, Chemikalien, Zigarettenrauch sowie durch bestimmte Medikamente freie Radikale im Übermaß produziert.

Aufgrund ihrer Struktur können freie Radikale mit den unterschiedlichsten Substanzen reagieren. Die Bildung dieser hochreaktiven Verbindungen ist für bestimmte Reaktionen im Körper notwendig, denn mit Hilfe der freien Radikale kann das Immunsystem – wiederum durch Oxidationsprozesse – Krankheitserreger zerstören. Doch wenn es zu viele freie Radikale gibt, können sie zu einer Gefahr für unsere Gesundheit werden, weil sie auch die »guten Zellen« angreifen und so verschiedene Zellbestandteile im Körper schädigen.

Dieser Schädigung wirken die Vitamine A, C und E entgegen, indem sie ein Überschießen der freien Radikalen verhindern und damit ein Entgleisen der Oxidationsprozesse (das Zerstören von »guten Zellen«) hemmen – eben als Antioxidanzien wirken.

Vitamine brauchen Wasser oder Fett

Es gibt wasserlösliche und fettlösliche Vitamine. Vitamin A, D, E und K sind fettlösliche Vitamine, das heißt, sie benötigen Fette oder Öle, um aus dem Darm vom Körper aufgenommen zu werden. Die Vitamine der B-Gruppe und Vitamin C sind hingegen wasserlöslich, das heißt, sie benötigen Wasser zur Aufnahme aus dem Verdauungstrakt.

Im Folgenden werden die einzelnen Vitamine und ihre Besonderheiten beschrieben. Dabei erfahren Sie zunächst allgemein Wissenswertes über das jeweilige Vitamin, danach werden diese Fragen beantwortet:

- Was sind die besten Nahrungsquellen?
- Welche Funktion hat das Vitamin im Körper?
- Wechselwirkungen: Welche anderen Stoffe müssen gemeinsam mit dem Vitamin aufgenommen werden oder schon vorhanden sein, um die optimale Wirkung im Körper zu erzielen?
- Was ist bei der Verwendung in der Küche zu beachten?

Normalerweise wird bei einer ausgewogenen und abwechslungsreichen Ernährung die empfohlene Zufuhr an Vitaminen leicht erreicht. Kommt es trotzdem zu einer Unterversorgung an Vitaminen, kann dies gravierende Störungen im Stoffwechsel des Körpers zur Folge haben.

Tagesbedarf an Vitaminen

Vitamin A (Retinol)	1 Milligramm
Beta-Karotin	4 Milligramm
Vitamin D	5 Mikrogramm
Vitamin E	20–25 Milligramm
Vitamin K	65–80 Mikrogramm
Thiamin B_1	1–1,5 Milligramm
Riboflavin B_2	1,5 Milligramm
Niacin	15–18 Milligramm
Pyridoxin B_6	2 Milligramm
Folsäure	400 Mikrogramm
Panthothensäure	5–7 Milligramm
Biotin	150 Mikrogramm
Cobalamin B_{12}	3 Mikrogramm
Vitamin C	150 Milligramm

(Nach allgemeinen Empfehlungen der DGE)

Fettlösliche Vitamine

Diese Vitamine benötigen Fette oder Öle zur Aufnahme im Körper. Fettlösliche Vitamine müssen nicht täglich zugeführt werden, da sie im Körper gespeichert werden. Dadurch kann es allerdings zu einer Überversorgung und mitunter sogar zu Vergiftungen kommen.

Vitamin A – Retinol

Retinol kommt in tierischen Nahrungsmitteln als fertiges Vitamin A vor. In pflanzlichen Nahrungsmitteln hingegen ist Vitamin A unter anderem als Provitamin A (Beta-Karotin) vorhanden. Vitamin A kann im Körper gespeichert werden. Um den Bedarf zu decken, reicht es beispielsweise aus, einmal im Monat Leber zu essen.

Da Vitamin A und sein Provitamin Beta-Karotin sehr unterschiedlich in unserem Körper wirken, ist es wichtig, dass wir beide in ausreichender Menge zu uns nehmen.

- Die besten Nahrungsquellen sind Leber, Leberprodukte, Aal, Thunfisch.
- Retinol ist für den Sehvorgang wichtig und an der Bildung der Haut und Schleimhaut beteiligt. Außerdem ist es als Wachstumsfaktor in Zellen und Geweben sowie für die Knochenbildung von Bedeutung. Bei Schwangeren wird Retinol für die Entwicklung der Plazenta benötigt, bei Männern erhält es das Sperma funktionsfähig.
- Wechselwirkungen im Körper: Vitamin E, Vitamine der B-Gruppe, Vitamin C, Eisen, Kalzium, Phosphor und Zink.

Provitamin A – Beta-Karotin

- Die besten Quellen für Beta-Karotin sind Löwenzahn, Feldsalat, Stangensellerie, Fenchel, Grünkohl, Mascarpone und grüne Gemüse.
- Beta-Karotin kann als Radikalenfänger bzw. Antioxidans wirken und hat damit eine Bedeutung in der Krebs-Prophylaxe, aber auch in der Vorbeugung bei Herz- und Kreislauferkrankungen.
- Wechselwirkungen im Körper: Vitamin E, B_2, B_{12}, C, Eisen, Zink.
- Verwendung in der Küche: Vitamin A und Beta-Karotin sind sehr sauerstoff- und lichtempfindlich. Leichtes Kochen führt hingegen lediglich zu einem Verlust von ca. 10 bis 30 Prozent.

Vitamin D – Calciferol

Vitamin D ist die große Ausnahme: Der Körper kann es selbst herstellen, da unser Stoffwechsel eine Vorstufe des Vitamins bildet, die dann unter Einwirkung von Sonnenlicht in die aktive Form von Vitamin D überführt wird. Wenn Sie Vitamin D über die Nahrung aufnehmen möchten (oder müssen), sollte einmal wöchentlich Seefisch auf Ihrem Speiseplan stehen: In der Natur kommt Vitamin D in größeren Mengen nur in Meeresfischen und Fischölen vor.

Um Vitamin D zu bilden, muss der Körper – Gesicht, Hände und Arme genügen – eine bestimmte Zeit der Sonne ausgesetzt sein: zwei- bis dreimal die Woche etwa 15 Minuten.

- Wichtige Nahrungsquellen für Vitamin D sind Aal, Hering, Austern, Lachs, Sardinen.
- Vitamin D ist bei der Aufnahme von Kalzium und Phosphor aus dem Darm behilflich. Nur in Gegenwart von Vitamin D wird zum Beispiel genügend Kalzium in die Knochen und Zähne eingebaut.
- Wechselwirkungen mit Vitamin A und C, Kalzium, Phosphor.

Vitamin E – Tocopherol

»Vitamin E« ist die Bezeichnung für eine Gruppe von mehreren fettlöslichen Verbindungen, die äußerst vielseitige Wirkungen in unterschiedlichen Körperfunktionen haben. Am wichtigsten ist die Wirkung von Vitamin E als Radikalenfänger und Antioxidans. In dieser Funktion bewahrt es die Nahrungs- und Körperfette vor der Zerstörung durch Sauerstoff. Unter anderem schützt Vitamin E als Bestandteil der Zellmembranen jede Körperzelle vor einem Angriff freier Radikale und hat so möglicherweise eine Bedeutung in der Krebs-Prophylaxe und in der Vorbeugung bei Herz- und Kreislauferkrankungen. Vitamin E sorgt für eine schöne Haut, und in Verbindung mit Vitamin A schützt es unsere Lunge vor den Auswirkungen der Luftverschmutzung

- Die besten Nahrungsquellen für Vitamin E sind Leinsamen, Haselnüsse, Mandeln, Sonnenblumenkerne und Erdnüsse. Grünkohl, Schwarzwurzeln oder Paprika enthalten ebenfalls viel Vitamin E.
- Wechselwirkungen: Vitamin E verhindert die Oxidation gemeinsam mit Vitamin A, Selen und Vitamin C. Weitere Nährstoffpartner sind die Vitamine der B-Gruppe sowie Mangan und Phosphor.

Vitamin K – Phyllochinon

- Vitamin K ist in der Natur weit verbreitet, man findet es besonders in pflanzlichen, aber auch in tierischen Lebensmitteln. Die besten Quellen für Vitamin K sind grünes Blattgemüse, Grünkohl, Rosenkohl, Spinat, Brokkoli, Brunnenkresse, Chicoreé, Sauerkraut und Leber.
- Vitamin K hat nur einen begrenzten Wirkungsbereich im Körper, dort ist es jedoch unentbehrlich: Es ist an der Bildung mehrerer Blutgerinnungsfaktoren beteiligt und somit für die ausgewogene Fließeigenschaft des Blutes verantwortlich.
- Verwendung in der Küche: Das Vitamin ist unempfindlich gegen Hitze und Sauerstoff, deswegen ist der Kochverlust sehr gering.

Wasserlösliche Vitamine

Die wasserlöslichen Vitamine brauchen Wasser, um vom Körper aufgenommen zu werden. Da sie nur in geringen Mengen im Körper gespeichert werden können, müssen sie täglich neu über die Nahrung zugeführt werden. Eine Überversorgung mit wasserlöslichen Vitaminen ist in der Regel unbedenklich.

 **Gut zu wissen**

Unbeabsichtigte Vitaminverluste

Sogar bei einer scheinbar ausgewogenen Ernährung kann Vitaminmangel auftreten. Es genügt nämlich nicht, die richtigen Nahrungsmittel zu sich zu nehmen. Bei der Verarbeitung von Lebensmitteln muss außerdem darauf geachtet werden, Vitaminverluste zu vermeiden. Vitamine sind empfindliche Substanzen, sie können durch äußere Einwirkungen wie Licht, Luft, Hitze (durch Kochen) usw. leicht zerstört werden.

Die Vitamine der B-Gruppe

Zu den Vitaminen der B-Gruppe gehören die Vitamine B_1, B_2, B_6, B_{12} sowie Niacin, Folsäure, Pantothensäure und Biotin. »B-Vitamine« ist eine Sammelbezeichnung für eine Reihe verschiedener chemischer Substanzen mit unterschiedlichen Wirkungen. Sie sind an den meisten zentralen Vorgängen des Stoffwechsels beteiligt. Das Fehlen eines einzigen B-Vitamins kann unseren gesamten Stoffwechsel negativ beeinflussen.

Bei der Zubereitung von Nahrungsmitteln, die viel Vitamin B enthalten, muss man bedenken, dass Kochwasserverluste auftreten. Deshalb sollte das Kochwasser weiterverwendet (in Suppen oder Saucen) oder einfach getrunken werden.

Vitamin B_1 – Thiamin

- Vitamin B_1 kann man in fast allen pflanzlichen oder tierischen Lebensmitteln finden, doch meist nur in kleineren Mengen. Zu den besten Nahrungsquellen zählen Weizenkeime, Hülsenfrüchte, Vollkorngetreide, Naturreis, Sojaprodukte, Kartoffeln und Schweinefleisch.
- Vitamin B_1 hat vielfältige Funktionen im Nervensystem und wirkt sich positiv auf das Herz- und Muskelgewebe aus. Die Folgen eines leichten Mangels an Vitamin B_1 können Leistungsabfall, Ermüdung, Konzentrationsstörungen oder Nervosität sein.
- Wechselwirkungen: Vitamine der B-Gruppe, Vitamin C und E, Schwefel, Mangan und Phosphor.
- Verwendung in der Küche: Da Vitamin B_1 äußerst hitzeempfindlich ist, geht beim Kochen ein großer Teil (bis zu 50 Prozent) verloren.

Vitamin B_2 – Riboflavin

- Besonders reich an Vitamin B_2 sind Milch, Milchprodukte, Eigelb, Vollkornerzeugnisse, Fleisch, Fisch (wie Lachs und Makrele), Leber, Geflügel, Brokkoli, Pilze, Spinat, Mandeln, Samen, Keime und Hefe.
- Vitamin B_2 ist ein wichtiger Bestandteil eines Enzyms und beeinflusst den Stoffwechsel von Kohlenhydraten, Fettsäuren, Aminosäuren und anderer Vitamine. Darüber hinaus wird es für die Bildung der roten Blutkörperchen, für Wachstum, Zellatmung, den Sehprozess und für eine gesunde Haut und Schleimhäute benötigt. Vier Gläser Vollmilch (à 200 ml) decken den Tagesbedarf an Vitamin B_2.
- Wechselwirkungen: B-Vitamine, Vitamin C und Phosphor.

- Verwendung in der Küche: Vitamin B_2 ist extrem lichtempfindlich, deshalb ist der Vitamingehalt in frischen Nahrungsmitteln am höchsten. Milch sollten Sie nicht in durchsichtigen Flaschen kaufen, denn bereits nach zwei Stunden ist das Vitamin verloren.

Vitamin B_6 – Pyridoxin

- Vitamin B kommt in der Natur sehr häufig vor. Einen hohen Vitamin-B_6-Anteil hat Fleisch, insbesondere Innereien wie Leber. Weitere tierische Nahrungsmittel sind Fische, beispielsweise Lachs. Bei den pflanzlichen Nahrungsmitteln enthalten Kartoffeln, Getreide, verschiedene Gemüsearten und Bananen viel Vitamin B_6.
- Vitamin B_6 ist als Enzymbestandteil besonders für den Eiweißstoffwechsel beim Aufbau der Aminosäuren, aber auch im Kohlenhydrat- und Fettstoffwechsel unentbehrlich. Außerdem spielt es eine wichtige Rolle bei der Blutbildung, im Immunsystem und bei der Zellteilung.
- Wechselwirkungen: Vitamine der B-Gruppe, Vitamin C, Natrium, Kalium und Magnesium.
- Verwendung in der Küche: In pflanzlichen Produkten ist das Vitamin B nicht hitzeempfindlich, beim Kochen entstehen daher kaum Verluste. In tierischen Produkten hingegen reagiert Vitamin B auf UV-Licht und Hitze, dadurch entstehen Verluste von durchschnittlich ca. 20 Prozent.

Schon in einer Banane stecken 30 Prozent der empfohlenen Tagesdosis am Vitamin B_6!

Vitamin B_{12} – Cobalamin

Vitamin B_{12} kann nur von Mikroorganismen hergestellt werden, daher müssen wir es mit der Nahrung aufnehmen.

- Vitamin B_{12} findet sich in Schweinefleisch, Rindfleisch, Leber, Huhn, Fisch, Eiern, Milch und Milchprodukten, aber auch in vergorenen Lebensmitteln, z. B. Sauerkraut.
- Vitamin B_{12} hat wichtige Funktionen in unserem Nervensystem, es sorgt für einen normalen Gehirnstoffwechsel und für unser psychisches Wohlbefinden. Außerdem ist es ein wesentlicher Faktor in der Blutbildung und der Regeneration der Schleimhäute. Mangelerscheinungen können bei einer ausschließlich pflanzlichen Ernährung auf-

treten. Sie werden aber oft erst nach mehreren Jahren sichtbar, wenn das im Körper gespeicherte Vitamin B_{12} aufgebraucht ist. Menschen über 60 Jahre können Vitamin B_{12} schlechter aufnehmen und müssen deshalb darauf achten, genügend zuzuführen.

- Wechselwirkungen mit Vitaminen der B-Gruppe, insbesondere Folsäure, Kalium und Natrium. Für die Aufnahme von Vitamin B_{12} ist im Darm u. a. eine ausreichende Konzentration an Kalzium notwendig.

Vitamin B_{12} ist das einzige Vitamin oder überhaupt der einzige Nährstoff, der ein Spurenelement enthält, das für unsere Gesundheit unverzichtbar ist: Kobalt.

Niacin

- Niacin ist in vielen tierischen Lebensmitteln enthalten, jedoch meist nur in geringen Mengen. Besonders reich an Niacin sind Leber, Nieren, Thunfisch und Lachs.
- Niacin ist ein Bestandteil von Enzymen, die für viele Stoffwechselreaktionen im Körper notwendig sind. Außerdem ist es wichtig für das Nervensystem, die Haut und die Verdauung.
- Wechselwirkungen mit Vitaminen der B-Gruppe und Phosphor.
- Verwendung in der Küche: Niacin ist problemlos zu verarbeiten, da es gegen äußere Einflüsse sehr beständig ist. Allerdings kann es als wasserlösliches Vitamin beim Kochen ins Kochwasser gelangen und so verloren gehen.

Folsaure

- Folsäure findet man sowohl in tierischen als auch in pflanzlichen Lebensmitteln. Bei den pflanzlichen kommt das Vitamin vor allem in Blattgemüse vor; hier gilt, je grüner, desto besser: Spinat, Salate, Brokkoli, Rosenkohl, Bohnen. Beim Obst ist Folsäure in vielen Beeren (Himbeeren, Stachelbeeren, schwarze und rote Johannisbeeren, Erdbeeren), in Orangen, Pfirsichen, Weintrauben, Äpfel usw. enthalten.
- Folsäure ist Bestandteil von Enzymen, die im Stoffwechsel der Aminosäuren benötigt werden. Außerdem wird das Vitamin für die Blutbildung und den Aufbau der roten Blutkörperchen gebraucht. Folsäure ist überall am Zellaufbau beteiligt, z. B. bei der Bildung der Nukleinsäuren, aus denen unsere Erbanlagen (DNS) bestehen.

- Wechselwirkungen mit Vitaminen der B-Gruppe und Vitamin C.
- Verwendung in der Küche: Folsäure ist sehr temperaturempfindlich, vor allem im Gemüse. Wer speziell seinen Bedarf an Folsäure decken will, sollte darum Rohkost vorziehen. Da Folsäure empfindlich gegen Sonnenlicht und Hitze ist, kann es bei einer falschen Lagerung von Lebensmitteln zu einem Vitaminverlust kommen. Gemüse und Obst gehören darum ins Gemüsefach des Kühlschranks.

Pantothensäure

- Pantothensäure ist praktisch in allen pflanzlichen und tierischen Lebensmitteln zu finden. Gute natürliche Quellen sind Leber, Hühnerbrust, Hering, Roggenvollkornbrot und Preiselbeeren.
- Pantothensäure ist Bestandteil von Enzymen des Stoffwechsels, die den Abbau von Fetten und Kohlenhydraten unterstützen. Das Vitamin ist auch als Schönheitsvitamin bekannt, da es das Wachstum der Haut und der Schleimhäute fördert.
- Wechselwirkungen mit den Vitaminen der B-Gruppe, Vitamin C und Schwefel.

Biotin

- Biotin kommt zwar in der Natur sehr oft vor, aber nie in größeren Mengen. Hauptquellen sind Leber, Ei, Sojabohnen und Hefe. Biotin aus pflanzlicher Nahrung ist leichter zu verwerten, da es »frei« bzw. ungebunden ist. In tierischen Lebensmitteln kommt es hingegen eiweißgebunden vor und muss erst aufgeschlossen werden.
- Biotin ist Bestandteil von verschiedenen Enzymen, die beim Kohlenhydrat-, Fett- und Eiweißstoffwechsel von Bedeutung sind. Es wirkt positiv auf die Entstehung und die Erhaltung von Blutzellen und unterstützt das Vitamin K bei der Bildung von Blutgerinnungsfaktoren. Sehr wichtig ist Biotin auch für Haut und Haare, ein Mangel äußert sich z. B. in trockener, schuppiger Haut.
- Wechselwirkungen mit Vitaminen der B-Gruppe (B_2, B_6, B_{12}, Folsäure und Pantothensäure), Vitamin C und Schwefel.

Eine gute Versorgung mit Biotin sorgt für eine glatte Haut und kräftige, glänzende Haare.

Vitamin C – Ascorbinsäure

- Die Vitamin-C-Lieferanten schlechthin sind frisches Obst und Gemüse. Vitamin C ist aber auch in tierischen Lebensmitteln enthalten, beispielsweise in Niere und Leber sowie in manchen Fischen.
- Vitamin C hat sehr viele Funktionen im Körper. Es hilft als Bestandteil von Enzymen bei der Bildung des Eiweiß-Bausteins Kollagen und sorgt dadurch indirekt für eine gesunde Entwicklung von Knochen, Zähnen und Haut. Es kann als Radikalenfänger bzw. Antioxidans wirken und hat so möglicherweise eine Bedeutung in der Krebs-Prophylaxe, aber auch in der Vorbeugung bei Herz- und Kreislauferkrankungen. Ob Vitamin C direkt auf die Bildung von Krebstumoren einwirkt, ist nicht geklärt. Es hemmt aber zumindest die Bildung von krebserregenden Stoffen (Nitrosamine) im Körper selbst. Vielfach diskutiert werden die vorbeugenden und therapeutischen Wirkungen von Vitamin C auf das Immunsystem. Sicher ist, dass es das Immunsystem zur Produktion von Abwehrzellen mit erhöhter Aktivität stimulieren kann. Vitamin C ist wichtig für die Hirnanhangsdrüse und unterstützt deren Hormonausschüttung. Damit ist das Vitamin auch an den Regelkreisen der Sexualhormone, der Stresshormone und des Wachstums beteiligt. Vitamin C begünstigt die Aufnahme von Eisen im Darm. Vitamin C ist also eines der wichtigsten Vitamine.
- Wechselwirkungen sind mit fast allen Nährstoffen möglich, besonders eng ist die Zusammenarbeit mit Vitamin E und Eisen.
- Verwendung in der Küche: Beim Verarbeiten und Kochen der Lebensmittel kann bis zu 100 Prozent des Vitamins verloren gehen. Durch Einfrieren oder Blanchieren kann man dies vermeiden. Tiefgekühltes Obst und Gemüse enthält oft mehr Vitamin C als frisches, das schon längere Zeit im Supermarkt liegt oder falsch aufbewahrt wird – dies gilt übrigens auch für alle anderen Vitamine. Vitamin C ist äußerst licht- und sauerstoffempfindlich. Wichtig im Zusammenhang mit der Nahrungszubereitung ist auch die Kombination von Vitamin C mit anderen Vitaminen, allen voran Vitamin E, welches die Oxidation von Vitamin C maßgeblich verhindert.

Über den optimalen Bedarf an Vitamin C ist man sich nicht einig – die Empfehlungen werden ständig erhöht. Es besteht jedoch kaum die Gefahr einer Überdosierung, denn dafür müsste man extrem große Mengen zu sich nehmen.

Mineralstoffe – unentbehrlich für den Körper

Heute rechnet man mehr als 20 anorganische Elemente (Mineralstoffe) zu den essenziellen Nährstoffen. Unser Körper braucht sie für vielerlei Stoffwechselabläufe, sie sind also unentbehrlich, um unsere Gesundheit und Leistungsfähigkeit aufrecht zu erhalten. Damit wir unseren Mineralstoffbedarf decken können, sind wir sowohl auf pflanzliche wie auch auf tierische Nahrungsmittel angewiesen.

Was sind Mineralstoffe?

In der Natur existieren Mineralstoffe hauptsächlich als Salzverbindungen. Sobald Salze in Wasser aufgelöst werden, zerfallen sie in geladene Teilchen (Ionen), so genannte Elektrolyte. In unserem Körper kommen Mineralstoffe in dieser ionisierten Form (als Elektrolyte) vor und erfüllen die unterschiedlichsten Aufgaben. Sie sind Bestandteil verschiedener Körperstrukturen, z. B. Knochen und Zähne, sowie Bausteine vieler körpereigener Substanzen, z. B. Enzyme und Hormone. Zudem spielen sie eine wichtige Rolle im Wasserhaushalt bzw. im Elektrolytbestand des Organismus.

Ohne Elektrolyte würde sich in unserem Körper nicht viel abspielen. Für den Ablauf lebensnotwendiger Stoffwechselvorgänge ist darum der Elektrolytbestand des Organismus wichtig. Elektrolyte haben die Aufgabe, alle Körperflüssigkeiten leitfähig zu machen, d. h. durch sie wird elektrischer Strom weitergeleitet. Die Mineralstoffe in ihrer Funktion als Elektrolyte ermöglichen z. B. unsere gesamte Nervenreizleitung.

Elektrolyte ist ein Sammelbegriff für alle Nährstoffe, die beim Auflösen in Körperflüssigkeiten in Ionen, also elektrisch geladene Atome zerfallen.

Mineralstoffe sind resistent

Wie die Vitamine wirken auch die Mineralstoffe sehr spezifisch im Organismus, darum kann ein Mangel nur durch das entsprechende Element behoben werden. Bei einer ausgewogenen Mischkost, die einen hohen Anteil an Gemüse und Vollkorngetreideprodukten besitzt, ist die Mineralstoffzufuhr in der Regel ausreichend.

Mineralstoffe sind im Allgemeinen nicht so empfindlich wie Vitamine. Sie werden bei der Produktion, beim Transport, bei der Lagerung sowie bei der Zubereitung der Nahrung kaum zerstört, denn weder starke Hitze und Kälte noch Luftsauerstoff können ihnen etwas anhaben. Dadurch ist die Gefahr von Mangelerscheinungen wesentlich geringer als bei den Vitaminen.

Wie werden Mineralstoffe eingeteilt?

Bei den Mineralstoffen unterscheidet man zwischen Mengen- und Spurenelemente. Diese Einteilung besagt nichts über die Qualität oder die spezifischen Funktionen der jeweiligen Mineralien, sondern bezieht sich lediglich auf den mengenmäßigen Anteil im Körper: Der Anteil von Mengenelementen ist höher als 50 Milligramm, der von Spurenelementen niedriger als 50 Milligramm pro Kilogramm Körpergewicht. Eine Ausnahme bildet Eisen, das zu den Spurenelementen zählt, obwohl 60 Milligramm pro Kilogramm Körpergewicht vorkommen.

Im Folgenden werden nach dem gleichen Schema wie bei den Vitaminen die einzelnen Mineralstoffe beschrieben: ihre Besonderheiten, die besten Nahrungsquellen, die Funktion der Mineralstoffe in unserem Körper und die Wechselwirkungen mit anderen Stoffen.

Die Deutsche Gesellschaft für Ernährung (DGE) gibt Empfehlungen für den Tagesbedarf an Mineralstoffen und Vitaminen heraus. Dies sind Richtwerte, die jeweils auf dem aktuellen Stand der medizinischen Forschung beruhen.

Tagesbedarf an Mineralstoffen

Eisen	15 Milligramm
Jod	200 Mikrogramm
Kalium	3500 Milligramm
Kalzium	1000 Milligramm
Kupfer	1,5–3 Milligramm
Magnesium	400 Milligramm
Mangan	2–5 Milligramm
Phosphor	1500 Milligramm
Zink	12–15 Milligramm

(Nach allgemeinen Empfehlungen der DGE)

Mengenelemente

Die nachfolgenden Mineralstoffe gehören zu den Mengenelementen. Sie machen mehr als 99 Prozent aller Mineralstoffe im Organismus aus. Besonders wichtig sind die Mengenelemente für den Aufbau verschiedener Körperstrukturen sowie für die Regulierung des Wasser- und Elektrolythaushaltes. Der tägliche Bedarf an Mengenelementen kann durch eine ausgewogene Ernährung leicht gedeckt werden.

Über 99 Prozent aller Mineralstoffe im Organismus sind Mengenelemente. Das restliche Prozent setzt sich aus den Spurenelementen zusammen.

Natrium (Na) und Chlor (Cl)

- Den größten Anteil an Natrium und Chlor nimmt unser Körper über die mit Kochsalz (Natriumchlorid, NaCl) versetzten Nahrungsmittel auf: Fleisch- und Wurstwaren, Käse und Brot. Natrium und Chlor sind als Elektrolyte Bestandteil der Körperflüssigkeiten.
- Natrium ist das bedeutendste Ion außerhalb der Zellen im Körper. Es stabilisiert den Blutdruck, transportiert Nährstoffe über Darm und Zellwand und hilft bei der Aufnahme von Zuckern und Aminosäuren. Chlor ist ein wichtiger Bestandteil der Magensäure (= Salzsäure, HCl).
- Natrium und Chlorid sind Bestandteile unserer Knochen.
- Wechselwirkungen mit Chlor bzw. Natrium und Kalium.

Kalium (K)

- Wichtige Nahrungsquellen für Kalium sind Obst, Gemüse, Nüsse, Vollkornprodukte, Kartoffeln, Fleisch und Fisch.
- Kalium ist das wichtigste Ion (Elektrolyt) innerhalb der Zelle. In Zusammenarbeit mit Natrium, dem bedeutendsten Ion außerhalb der Zelle, sorgt es für einen ausgeglichenen Wasserhaushalt. Kalium ist wichtig für die Wirkung von Enzymen in der Zelle und reguliert den Transport von Nährstoffen über die Zellmembran. Weitere Aufgaben hat Kalium in der Nervenimpulsübertragung, bei der Arbeit der Muskeln und bei der Stabilisierung des Blutdrucks zu erfüllen.
- Wechselwirkungen mit Natrium und Vitamin B_6.

Kalzium (Ca)

- Kalzium kommt reichlich vor in Milch und Milchprodukten (vor allem Käse), Nüssen, Hülsenfrüchten und Gemüse (z. B. Brokkoli und Grünkohl).
- Neben seiner überragenden Bedeutung für den Aufbau der Knochen und Zähne hat Kalzium wichtige Aufgaben bei der Zellteilung, der Übertragung von Nervenimpulsen, der normalen Muskeltätigkeit und der Blutgerinnung. Weiter schützt uns Kalzium vor Schadstoffen aus der Umwelt (z. B. Blei und Cadmium), indem es deren Aufnahme verhindert. Während der Schwangerschaft und in der Stillzeit ist der Bedarf an Kalzium erhöht.
- Wechselwirkungen mit Magnesium, Eisen, Mangan, Phosphor sowie den Vitaminen A, D und C.

Wie viel von welchem Mineralstoff in pflanzlichen Nahrungsmitteln vorkommt, hängt besonders von der Zusammensetzung, Bearbeitung und Düngung des Bodens sowie vom Aufnahme- und Speichervermögen der jeweiligen Pflanze ab.

Phosphor (P)

- In den meisten Nahrungsmitteln ist Phosphor reichlich vorhanden. Gute Quellen sind Fisch, Fleisch, Brot und Milchprodukte. Phosphor aus tierischen Lebensmitteln kann besser vom Körper verwertet werden als Phosphor, das aus pflanzlichen Nahrungsmitteln stammt.
- Phosphor nimmt als Baustein vieler organischer Verbindungen, beispielsweise von Proteinen, Kohlenhydraten, Fetten und Vitaminen, eine wichtige Stellung in unserem Organismus ein. Er ist aber auch – zusammen mit Kalzium – am Aufbau der Knochen, Zähne und des gesamten Stützapparates beteiligt.
- Wechselwirkungen: Vitamin D begünstigt die Aufnahme von Phosphor im Körper.

Schwefel (S)

- Fleisch, Fisch, Geflügel, Eier, Milchprodukte sowie Nüsse und Hülsenfrüchte stellen gute Nahrungsquellen für die Schwefelzufuhr dar.
- Schwefel hat eine bedeutende Aufgabe als Bestandteil schwefelhaltiger Aminosäuren und Vitamine (Thiamin, Biotin).
- Wechselwirkungen: keine bekannt.

Magnesium (Mg)

Magnesium wird in fast allen Zellen benötigt und ist deshalb einer der wichtigsten Mineralstoffe des Körpers.

- Die besten Magnesiumlieferanten sind vollwertige Getreideprodukte, Gemüse, Nüsse, Hülsenfrüchte, Sojabohnen, Fleisch, Milchprodukte.
- Ohne Magnesium läuft nichts im Leben: Es steuert unter anderem über 300 verschiedene Enzyme und ist dadurch maßgeblich an allen Prozessen des Stoffwechsels und der Energiegewinnung beteiligt. Aber Magnesium kommt nicht nur als ein Bestandteil von Enzymen vor, es befindet sich auch in den Knochen und hat große Bedeutung als Elektrolyt in den Körperflüssigkeiten.
- Wechselwirkungen mit Kalzium, Phosphor, den Vitaminen B_6, C und D.

Spurenelemente

Um den täglichen Bedarf an Spurenelementen sowie an Mengenelementen zu decken, reicht eine abwechslungsreiche Kost aus. Allein über die Nahrungsaufnahme kommt es in der Regel zu keiner Überdosierung.

Die Spurenelemente machen weniger als ein Prozent der gesamten Mineralstoffaufnahme aus und sind schon in kleinsten Mengen wirksam. Nur Eisen und Zink werden in relativ großen Mengen benötigt. Spurenelemente sind wesentliche Bestandteile wichtiger Hormone, Enzyme und Proteine (Eiweißstoffe) oder regulieren die Enzymaktivitäten im Körper. Ein Mangel kann sehr gravierend sein, weil fast alle Spurenelemente für die Funktion gleich mehrerer Enzyme wichtig sind. Die folgenden Spurenelemente gelten nach heutigen Kenntnissen als lebensnotwendig (essenziell) für den Menschen: Chrom, Eisen, Fluor, Jod, Kobalt, Kupfer, Mangan, Molybdän, Selen und Zink.

Chrom (Cr)

- Wichtige Nahrungsquellen sind Getreide, Käse und Fleischprodukte.
- Chrom ist an der Blutzuckerregulierung beteiligt und hat Einfluss auf den Kohlenhydrat-, Eiweiß- und Fettstoffwechsel. Außerdem ist Chrom Bestandteil eines Proteins, das als Helfer für das Hormon Insulin bei der Verwertung der Kohlenhydrate aus den Nahrungsmitteln unentbehrlich ist.
- Wechselwirkungen: keine bekannt.

Eisen (Fe)

- Gute Nahrungsquellen für Eisen sind Fleisch, Leber, Vollkornprodukte, Sojaprodukte, grünes Gemüse und Hülsenfrüchte. Eisen aus tierischen Nahrungsquellen kann im Körper besser verwertet werden als Eisen, das aus pflanzlichen Nahrungsmitteln stammt.
- Eisen hat seine Hauptaufgabe bei der Blutbildung als Bestandteil des Hämoglobins – dies ist der rote Blutfarbstoff, der den Sauerstoff im Blut transportiert. Daneben ist Eisen aber auch unverzichtbar als Bestandteil von Enzymen, die in allen Zellen des Körpers wirken. Besondere Bedeutung hat es für die Funktion des Nervensystems.
- Wechselwirkungen mit Vitamin C, Folsäure, Vitamin B_{12}, Kupfer und Kalium. Vitamin C begünstigt die Aufnahme von Eisen aus dem Darm.

Bei tierischen Nahrungsmitteln hängt der Mineralstoffgehalt direkt mit dem des Futters zusammen, das die Tiere bekommen haben.

Fluor (F)

Fluor selbst ist ein giftiges Gas. Nur in Form von natürlichen Salzverbindungen (Fluoriden) hat es eine essenzielle Bedeutung für den Menschen.

- Gute Nahrungsquellen sind Seefische wie Hering, Geflügel, Kalb- und Schweinefleisch, Getreide, Hülsenfrüchte, Kartoffeln.
- Fluorid erhöht die Stabilität von Knochen und Zähnen. Generell kann freies Fluorid in Wasser gelöst (z. B. Natriumfluorid) besser vom Körper aufgenommen werden.
- Wechselwirkungen: keine bekannt.

 Gut zu wissen

Das Altern der Zellen bremsen

Das Anitoxidans Vitamin E kann zusammen mit Magnesium den Alterungsprozess der Zellen aufhalten. Magnesium ist an vielen Stoffwechselprozessen beteiligt und sorgt unter anderem für eine gute Durchblutung des Gehirns, daraus resultiert eine bessere Leistungs- und Erholungsfähigkeit von Körper und Geist. Zusammen mit Vitamin E verhindert Magnesium das Überschießen freier Radikale und kann dadurch das Altern der Körperzellen verlangsamen.

Jod (J)

Das Jodvorkommen in Wasser und Boden ist regional sehr verschieden. Daher ist der Jodgehalt in pflanzlichen und tierischen Nahrungsmitteln äußerst variabel.

- Wichtige Nahrungsquellen sind Seefisch, Milch, Jodsalz und damit hergestellte Lebensmittel.
- Jod wird für die Bildung der Schilddrüsenhormone benötigt. Diese spielen eine entscheidende Rolle für den Stoffwechsel von Eiweiß, Fett und Kohlenhydraten.
- Wechselwirkungen: keine bekannt.

Kobalt (Co)

- Kobalt kommt in vielen Nahrungsmitteln in unterschiedlichen Mengen vor, jedoch stammt es in Verbindung mit Vitamin B_{12} zumeist aus tierischen Nahrungsquellen, wie Fleisch, Fisch, Geflügel, und verschiedenen Milchprodukten. Es ist aber auch Bestandteil vergorener Lebensmittel wie z. B. Sauerkraut.
- Für den Menschen ist Kobalt nur als Bestandteil von Vitamin B_{12}, einem wesentlichen Faktor bei der Blutbildung, wichtig.
- Wechselwirkungen: siehe unter Vitamin B_{12}.

Kupfer (Cu)

Um Blutfarbstoff (Hämoglobin) aufzubauen, muss Eisen zusammen mit Kupfer zur Verfügung stehen.

- Wichtige Nahrungsquellen sind Nüsse, Hülsenfrüchte, grüne Blattgemüse, Fisch und Fleisch.
- Kupfer ist notwendig als Bestandteil mehrerer Hormone und Enzyme und ist somit an vielen Stoffwechselprozessen beteiligt, z. B. an der Beseitigung der im Körper gebildeten Oxidationsprodukte (freie Radikale) oder bei der Aufnahme von Eisen aus dem Darm.
- Vital-Wechselwirkungen mit Zink, Kobalt und Eisen.

Mangan (Mn)

- Gute Nahrungsquellen sind pflanzliche Lebensmittel wie z. B. Nüsse, Vollkornprodukte, Hülsenfrüchte und Blattgemüse.
- In unserem Stoffwechsel spielt Mangan eine wesentliche Rolle als Bestandteil bzw. Aktivator verschiedener Enzyme.
- Wechselwirkungen mit Kalzium, Vitamin B_6, C und D.

Molybdän (Mb)

- Gute Nahrungsquellen sind Leber, Niere, Milchprodukte, Hülsenfrüchte, Vollkornprodukte, Bierhefe und Kakao. Der Molybdängehalt pflanzlicher Lebensmittel wird im Wesentlichen von den jeweiligen Bodenverhältnissen bestimmt.
- Als Bestandteil und bei der Aktivierung von Enzymen spielt Molybdän eine wichtige Rolle im Stoffwechsel des Körpers. Aber es wirkt mit anderen Mengen- und Spurenelementen zusammen, insbesondere mit den Fluoriden. Molybdän unterstützt ihre Aufnahme aus dem Darm in den Organismus wie auch deren Einlagerung in Knochen und Zähne. Ebenso hilft es dem Eisen bei der Blutbildung.
- Wechselwirkungen: keine bekannt.

Selen (Se)

- Die besten Quellen sind Fisch, Niere, Leber, Fleisch, Sojabohnen und Getreide. Der Selengehalt von Pflanzen hängt vom Selengehalt des Bodens ab. Wenn er hoch genug ist, kann es aus pflanzlichen Nahrungsmitteln besser aufgenommen werden als aus tierischen.
- Selen ist Bestandteil der körpereigenen Antioxidanzien. Außerdem schützt Selen gegen Umweltgifte (z. B. Cadmium, Quecksilber).
- Wechselwirkungen mit Vitamin E.

Zink (Zn)

- Zink wird im Allgemeinen aus tierischen Lebensmitteln besser verwertet als aus pflanzlichen. Besonders reiche Nahrungsquellen sind Fisch, Schaltiere, Fleisch, Milch und Milchprodukte sowie Vollkornprodukte.
- Zink ist wichtig als Bestandteil sowie als Aktivator von mehr als 70 verschiedenen Enzymen des Eiweiß- und Kohlenhydratstoffwechsels. Es wirkt positiv auf das Immunsystem, stabilisiert die Zellmembranen, hilft bei der Ausscheidung von Schwermetallen, bei chronischen Infekten sowie bei schlechter Wundheilung.
- Wechselwirkungen mit Phosphor, Kupfer, Kalzium, Vitamin A.

Zink stärkt das Immunsystem und kann so Krankheiten vorbeugen.

Noch nie hatten wir die Möglichkeit, so abwechslungsreich und gesund zu essen wie heute. Nutzen Sie diese Chance! Eine gesunde, natürliche Nahrung bietet von allem etwas: frisches Obst, frisches Gemüse, Nüsse, Milch, Joghurt (mit frischen Früchten), frisch gepresste Säfte, Fleisch, Fisch, Vollkornprodukte etc. Je vielfältiger unsere Nahrung ist, desto mehr Vitalstoffe nehmen wir zu uns. Dies sorgt für gefüllte Energiespeicher Ihres Körpers und eine gute körperliche und geistige Leistungsfähigkeit.

Energy-Food
in der Praxis

Der richtige Einkauf

Damit die Lebensmittel aber auch die optimale Energie liefern, sollten Sie beim Einkauf von Obst und Gemüse, Fleisch und Fisch ein paar Regeln beachten. Allem voran gilt natürlich der Grundsatz der Frische: Frisches Obst und Gemüse hat keine welken Blätter, Flecken oder braune Schnittflächen, Fisch und Fleisch mit angetrockneten Rändern liegen offensichtlich schon länger im Regal.

Obst und Gemüse einkaufen und aufbewahren

Kaufen Sie am besten Obst und Gemüse der Saison, das aus der Umgebung stammt, also keinen allzu langen Transport hinter sich hat. Außerhalb der Saison ist bei uns geerntetes und eingefrorenes Gemüse die bessere Alternative als importierte Ware, die auf ihrem Transportweg meist fast alle gesunden Inhaltsstoffe verloren hat. Bei Früchten mit einer festen Schale sieht das jedoch anders aus: Mango, Kiwi, Papaya, Zitrusfrüchte, Äpfel und Birnen sind – gerade wenn bei uns Winter ist – hervorragende Vitaminlieferanten.

Wenn Sie nicht die Möglichkeit haben, häufig frisches Gemüse zu kaufen, ist Tiefkühlkost die bessere Alternative. Gemüse, dass ein paar Tage gelagert wird, enthält nur noch wenige Vitamine.

Salat und Gemüse, das in Plastikfolie eingepackt ist, sollten Sie grundsätzlich nicht kaufen, denn diese Verpackung begünstigt das Wachstum von schädlichen Mikroorganismen. Plastiktüten sind prinzipiell nicht der richtige Aufbewahrungsort für frisches Obst und Gemüse.

Am besten bewahren Sie Obst und Gemüse getrennt im untersten Fach Ihres Kühlschrankes auf. Denken Sie daran, dass die meisten Vitamine Licht und Sauerstoff schlecht vertragen! Wird Obst und Gemüse dekorativ in Schalen oder Körben offen gelagert, verfliegen die Vitamine rasch.

Winterliche Alternative – Tiefkühlkost

Tiefkühlkost ist im Winter eine sehr gute Alternative zu frischem Obst und Gemüse. Durch die speziellen Verarbeitungsverfahren der Industrie bleiben viele Vitamine erhalten. Beim Umgang mit Tiefkühlkost müssen Sie nur einige grundlegende Dinge beachten:

- Achten Sie schon beim Einkaufen der Tiefkühlprodukte darauf, dass es sich um eine moderne Tiefkühltruhe handelt, möglichst mit Deckel oder Tür. Die Eisschicht auf der Innenseite der Truhe darf nicht dicker als zwei bis drei Millimeter sein, sonst wird die Ware zu warm. Beschädigte Packungen nicht mehr kaufen, denn wenn Luftsauerstoff in die Packung gelangt, trocknet die Ware aus.
- Nehmen Sie zum Einkauf eine spezielle Isoliertasche mit, zur Not wickeln Sie die Tiefkühlkost dick in Zeitungspapier ein. Länger als zwei Stunden darf der Heimweg trotzdem nicht dauern, sonst ist das Kühlgut schon angetaut, wenn Sie nach Hause kommen.
- Tauen Sie das Gemüse nicht auf, bevor Sie es verarbeiten. Geben Sie es tiefgefroren in wenig kochendes Wasser.
- Achten Sie auf die Haltbarkeit der tiefgefrorenen Lebensmittel. Entsprechende Informationen finden Sie auf der Packung.

Es gibt spezielle Tiefkühlheimdienste, die Ihnen die Tiefkühlkost praktisch bis zur Truhe liefern. Nutzen Sie diesen Service!

Fleisch und Fisch einkaufen

Fleisch sollten Sie bei einem Metzger – idealerweise mit eigener Schlachtung – kaufen. Meiden Sie Fleisch aus Massentierhaltungen, denn zum einen leben diese Tiere unter Bedingungen, die wir als Mensch und Verbraucher nicht tolerieren sollten, zum anderen produzieren sie aufgrund der Haltung viele Stresshormone oder bekommen prophylaktisch Medikamente gegen Stress – und beides lagert sich im Fleisch ab. Ein guter Metzger wird Ihnen bereitwillig Auskunft darüber geben, wo seine Tiere herkommen und wie sie gehalten wurden.

Fisch wird hingegen – bis auf wenige Ausnahmen – immer noch frei gefangen. Wenn die Kühlkette nicht unterbrochen wurde, dann können Sie ihn überall in guter Qualität einkaufen.

Essen Sie zwei- bis dreimal in der Woche Meeresfische, vor allem wenn Sie unterhalb der Main-Linie wohnen, wo in der Luft kein Jod mehr zu finden ist.

Kräuter oder das Salz in der Suppe

Kräuter sind äußerst vielseitig einsetzbar: Sie können damit Suppen, Aufläufe und Salatsaucen würzen oder aus Quark einen leckeren Brotaufstrich zaubern. Am praktischsten ist ein kleines Kräutergärtchen auf dem Fensterbrett – Samen oder junge Pflänzchen gibt es im Fachhandel zu kaufen. Auch hier sind als Alternative eingefrorene frische Kräuter empfehlenswert.

Folgende Kräuter sollten Sie immer vorrätig haben: Basilikum, Estragon, Kerbel, Koriander, Majoran, Petersilie, Rosmarin, Salbei, Schnittlauch, Thymian und Zitronenmelisse. Frische Kräuter schneiden Sie erst kurz vor dem Servieren ab und geben sie dann grob gehackt über die Speisen.

Die richtige Zubereitung

Obst und Salat wird natürlich in der Regel roh gegessen. Auch Gemüse ist als Rohkost sehr lecker und gesund, doch nicht immer unbedingt empfehlenswert, denn rohes Gemüse ist schwerer zu verdauen als gegartes. Da beim Kochen schnell Nährstoffverluste auftreten, müssen Sie bei der Zubereitung von Speisen einige Regeln beachten, um trotzdem von den Vitaminen und Mineralstoffen zu profitieren.

Vor allem abends sollten Sie nicht zu viel Rohkost essen. Die Verdauung braucht ihre Zeit, und dies kann den Schlaf beeinträchtigen.

Tipps für Gemüse, Obst, Salat

- Holen Sie Gemüse erst kurze Zeit vor dem Kochen aus dem Kühlschrank. Waschen Sie es immer vor dem Schneiden und lassen Sie das Gemüse nicht im Wasser liegen, sonst landen die Vitamine im Ausguss.
- Das Schneiden sollte mit einem möglichst scharfen Messer erfolgen. Je weniger Gemüsefasern beschädigt werden, desto mehr Vitamine bleiben erhalten und gehen nicht durch Oxidation verloren.
- Die meisten Gemüsesorten brauchen nur in wenig Wasser gegart zu werden, es sei denn, Sie möchten eine Suppe kochen. Hierzu bieten sich z. B. Spargel, Brokkoli und Blumenkohl an, die in ausreichend Wasser gekocht werden; das Kochwasser wird anschließend für die Suppe verwendet.
- Kartoffeln sollten Sie möglichst mit der Schale kochen – das gilt vor allem für Frühkartoffeln. Dadurch haben Sie nur einen geringen Verlust an allen wichtigen Nährstoffen.

- Bei der Verarbeitung von Salat sollten Sie folgendes beachten: Das Strunkende mit einem scharfen Messer abschneiden, sodass Sie die Blätter leicht lösen können. Dann in kaltem Wasser abwaschen, aber nicht ertränken. Achten Sie beim Putzen der Blätter darauf, was Sie wegwerfen: Nicht die hellen Salatblätter sind am gesündesten, sondern die dunklen, äußeren Blätter: je dunkler die Blattfarbe, desto wertvoller. Die Salatsauce bereiten Sie in einem separaten Gefäß vor (z. B. ein Marmeladenglas mit Deckel, das sich gut schütteln lässt) und gießen sie erst kurz vor dem Servieren über den Salat.

Alle Speisen sollten erst kurz vor dem Verzehr fertig werden. Langes Warmhalten nimmt jeder Speise alle Vitamine und Mineralstoffe.

- Bei Äpfel und Birnen sitzen die meisten Vitamine direkt unter der Schale. Doch in der heutigen Zeit, in der das meiste Obst der längeren Haltbarkeit wegen behandelt wird, ist es nicht mehr ratsam, ungeschältes Obst zu essen. Biologisch angebautes, unbehandeltes Obst kann man hingegen mit der Schale verzehren. Grundsätzlich sollten Sie das Obst erst kurz vor dem Verzehr schälen und klein schneiden. Obstsalat, der Stunden vor dem Essen vorbereitet wurde, hat keine Vitalstoffe mehr!

Pfannen und Töpfe

Für Ihre gesunde Küche brauchen Sie nicht nur die richtigen Lebensmittel – auch beim Arbeitsgerät sollten Sie auf Qualität achten.

- Verwenden Sie nur Töpfe aus hochwertigen Materialien. Sie sollten einen Sandwichboden haben, der die Wärme gut weiterleitet, und der Deckel muss gut schließen, damit kein Wasserdampf entweichen kann.
- Der gute, alte Schnellkochtopf kommt in der Vitalstoffküche wieder zu Ehren. Hier verkürzt sich die Garzeit um 50 Prozent, und Vitamine, Mineralstoffe, Spurenelemente und Aromastoffe bleiben erhalten. Außerdem kommen Sie in einem Schnellkochtopf mit weniger Flüssigkeit aus.
- Der in Asien seit 3000 Jahren verwendete Wok bewährt sich bestens bei der Zubereitung vieler Speisen. Benutzen Sie einen modernen Wok mit Antihaft-Beschichtung, dadurch kann man Gemüse mit sehr wenig Flüssigkeit garen.

- Je schärfer Ihre Messer sind, desto feiner können Sie Gemüse zerteilen. Der glatte Schnitt durch die Gemüsefasern verhindert eine allzu schnelle Oxidation, und die Vitamine bleiben erhalten.

Garmethoden

- Pochieren – Langsames Garziehen bei einer Temperatur unterhalb des Kochens: 70 bis 95 °C.
- Blanchieren – Kurzzeitiges Garen in kochender Flüssigkeit, ca. 3 bis 5 Minuten.
- Dämpfen – Garen durch Wasserdampf auf einem Siebeinsatz über kochender Flüssigkeit in geschlossenem Topf; das Gemüse wird vorher gewürzt.
- Kochen – Garen in reichlich siedendem Wasser bei einer Temperatur von 100 °C. Das Gemüse nicht zudecken, weil es sich sonst verfärbt, denn beim Kochen entsteht eine Säure, die abziehen muss. Das Gemüse sollte vollständig mit Wasser bedeckt sein.
- Dünsten – Garen im eigenen Saft mit wenig oder gar keinem Fett. Sie benötigen einen Topf mit einem sehr gut schließenden Deckel, die Temperatur liegt bei 100 °C.
- Schmoren – Eine Kombination aus Anbraten und Dünsten. Gesalzen wird erst, nachdem Sie die Flüssigkeit dazugegeben haben

Wenn Sie Tiefkühlware in größeren Beuteln kaufen, dann entnehmen Sie immer nur so viel, wie Sie zum Kochen brauchen; den Rest lassen Sie tiefgefroren.

 Expertentipp

Leckere Saucen

Mit der Flüssigkeit, die nach dem Garen übrig bleibt, lassen sich schmackhafte Saucen zubereiten. Rühren Sie einfach etwas Sahne oder Crème fraîche ein, schmecken Sie das Ganze mit Salz und Pfeffer ab und streuen Sie frische Kräuter darüber.

Ob zum Frühstück, als Mittags-
imbiss oder als kleine Stärkung zwischendurch – die »kleinen Gerichte«
sollen nicht viel Zeit kosten, aber
trotzdem lecker und gesund sein.
Wenn Sie morgens mit einem kräftigen und gleichzeitig leichten Frühstück beginnen, dann können Sie
auch einem anstrengenden Tag
furchtlos ins Auge sehen. Ein Imbiss
zwischendurch soll ebenfalls schnell
Energie spenden, aber nicht träge
machen. In diesem Kapitel finden Sie
von Müsli über Salate bis hin zu
Brotaufstrichen und süßen Leckerei-
en kleine, feine Rezepte für wirk-
same Energiespritzen.

Kleine Leckereien –
die Energie-
spritze für
zwischendurch

Mangodrink

Mixen Sie immer nur so viel Saft, wie Sie innerhalb einer halben Stunde trinken wollen. Vitamin C ist sehr empfindlich und verflüchtigt sich innerhalb kurzer Zeit.

Zubereitungszeit: etwa 10 Minuten

Zutaten

- 1 Mango
- 8 Orangen
- 1 Zitrone
- Mineralwasser zum Aufgießen

Besonders reich an:
Vitamine A, B$_1$, C
Beta-Karotin
Folsäure

1. Die Mango schälen, den Kern entfernen, das Fruchtfleisch in kleine Stücke schneiden.
2. Die Orangen und die Zitrone auspressen, alles in einen Mixer geben und pürieren.
3. Sollte der Drink zu süß sein, kann er mit Mineralwasser aufgegossen werden.

Orangen-Müsli

Wer möchte, streut ein paar Rosinen über das Müsli.

Zubereitungszeit: etwa 15 Minuten

Zutaten

- 8 Orangen
- 4 EL Honig
- 160 g Vollkornflocken

Besonders reich an:
Vitamine B$_1$, C
Folsäure
Kalium
Magnesium
Eisen

1. Die Hälfte der Orangen schälen und filetieren. Die Stücke einmal durchschneiden, in eine Schüssel geben, mit dem Honig vermischen und etwas stehen lassen.
2. Die Vollkornflocken untermischen
3. Die restlichen Orangen auspressen. Den Saft über das Müsli gießen und servieren.

Erdbeer-Müsli

Müsli können Sie in jeder beliebigen Variation zubereiten. Verwenden Sie Obst der Saison oder exotische Früchte – es sollte nur keine Dosenware sein.

Zubereitungszeit: etwa 15 Minuten

Besonders reich an:
Vitamine B_1, B_2, C
Magnesium
Phosphor
Eisen

Zutaten

- 160 g Vollkornflocken
- 1/2 l Vollmilch
- 500 g Erdbeeren
- 20 g gehobelte Haselnüsse
- 3 El Honig

1. Die Vollkornflocken mit der Milch vermischen und einige Minuten quellen lassen.
2. Die Erdbeeren waschen, putzen und in kleine Stücke schneiden.
3. Erdbeeren, Haselnüsse und Honig zu den Vollkornflocken geben, alles vorsichtig vermengen und servieren.

Frischkäse-Aufstrich

Als Variante können Sie auch eine Paprikaschote klein schneiden und zusätzlich unter den Frischkäse mischen. Paprika enthält viel Vitamin A und C.

Zubereitungszeit: etwa 10 Minuten

Zutaten

Besonders reich an:
Vitamine A, B_2, C

- 200 g Frischkäse
- 1 Bund Schnittlauch
- 2 Zweige Basilikum
- 2 Knoblauchzehen
- Salz
- Pfeffer

1. Den Frischkäse in eine Schüssel geben
2. Die gewaschenen Kräuter klein schneiden, die Knoblauchzehen schälen, zerdrücken und fein hacken. Alles zum Käse geben und miteinander vermischen.
3. Mit Salz und Pfeffer abschmecken.

Erdbeermüsli und
Frischkäse-Aufstrich

Gemischter Salat mit pochiertem Ei

Wenn Sie noch mehr für Ihre Gesundheit tun wollen, streuen Sie Keimsprossen über Ihre Salate, z. B. Weizen-, Soja- oder Alfalfasprossen. Keime sind hervorragende Lieferanten für Vitamine, Mineralien und Spurenelemente.

Zubereitungszeit: etwa 20 Minuten

Besonders reich an:
Vitamine A, C, E
Beta-Karotin
Folsäure

Zutaten

- 1 Chicorée
- 50 g Löwenzahnblätter
- 1 Bund Schnittlauch
- 50 g Kerbel
- 1 kleine Zwiebel
- 3 EL Olivenöl

- 2 EL Balsamessig
- Salz, Pfeffer
- 1 Prise Zucker
- 1 TL süßer Senf
- 4 EL Weinessig
- 4 Eier

1. Die verschiedenen Salate und Kräuter unter fließendem Wasser kurz waschen.
2. Die Zwiebel schälen, in kleine Würfel schneiden, den Schnittlauch und den Kerbel grob hacken, den Salat zerpflücken.
3. Aus Olivenöl, Balsamessig, Zwiebeln, Kräutern, Salz, Pfeffer, Zucker und Senf die Marinade zubereiten.
4. In einem Topf Salzwasser zum Kochen bringen und 4 EL Weinessig dazugeben. Die Eier einzeln in eine Tasse aufschlagen und vorsichtig in das kochende Wasser gleiten lassen. Ca. 4 Minuten bei geringer Hitze gar ziehen lassen.
5. Den Salat mit der Marinade vermischen und auf den Tellern verteilen.
6. Die Eier mit einer Schaumkelle aus dem Wasser herausnehmen und auf den Salat geben.

Bunter Kartoffelsalat
Zubereitungszeit: etwa 30 Minuten

Zutaten

- 500 g Kartoffeln
- 1 Zucchino
- 1 rote Paprikaschote
- 2 rote Zwiebeln
- 1 Bund Radieschen
- 50 g Rucola
- 1 Dose Gemüsemais

- 3 EL weißer Essig
- 5 EL Öl
- Zucker
- 2 EL Senf
- Pfeffer
- Salz
- 50 g Brunnenkresse

Besonders reich an:
Vitamine A, B_6, C, E
Beta-Karotin
Folsäure
Kalium
Magnesium

1. Die Kartoffeln schälen, in reichlich Salzwasser gar kochen, etwas ab-kühlen lassen und in mundgerechte Würfel schneiden.
2. Den Zucchino waschen und in Würfel schneiden. Die Paprika waschen, zerteilen, das Kerngehäuse entfernen und das Fruchtfleisch ebenfalls in kleine Würfel schneiden. Die Zwiebeln abziehen und in feine Ringe schneiden. Die Radieschen putzen und in Scheiben schneiden. Den Rucola waschen und abtropfen lassen.
3. Alles zusammen mit dem abgetropften Mais in eine große Schüssel geben.
4. Aus 1/4 l Wasser, Essig, Öl, Zucker, Senf, Pfeffer und Salz eine Marina-de zubereiten, über den Salat geben und alles miteinander vermischen.
5. Die Brunnenkresse waschen, die Blätter abzupfen und über den Salat streuen.

☼ Gut zu wissen

Seltenes Kraut

Brunnenkresse ist manchmal schwer zu bekommen. Fragen Sie Ihren Gemüse-händler, ob er Ihnen welche vom Großmarkt mitbringen kann. Als Alternative können Sie auch Gartenkresse verwenden. Sie schmeckt ähnlich.

Salat mit
Putenstreifen

Salat mit Putenstreifen

Zubereitungszeit: etwa 30 Minuten

Zutaten

- 2 Putenschnitzel
- Salz
- Pfeffer
- 3 EL Olivenöl
- 1 Friséesalat
- 4 Tomaten

- 2 rote Zwiebeln
- ca. 50 g schwarze kernlose Oliven
- 2 EL Essig
- 50 g Weizenkeime
- 50 g Brunnenkresse

Besonders reich an:
Vitamine A, B_1, C, E
Beta-Karotin
Folsäure

Außerdem

- Vollkornbaguette

Für die Knoblauchbutter

- 3 Knoblauchzehen
- 150 g weiche Butter

- Salz

1. Die Putenschnitzel in schmale Streifen schneiden, mit Salz und Pfeffer würzen. 1 EL Öl in einer Pfanne erhitzen und das Fleisch braten.
2. Den Friséesalat waschen und in Streifen schneiden. Die Tomaten waschen, putzen und achteln. Die Zwiebeln schälen und in Ringe schneiden. Salat, Tomaten, Zwiebeln und abgetropfte Oliven in einer großen Schüssel mischen.
3. Aus Essig, dem restlichen Olivenöl, Pfeffer und Salz eine Marinade herstellen.
4. Für die Knoblauchbutter die Knoblauchzehen schälen, zerdrücken und fein hacken. Knoblauch in die Butter einarbeiten, gut durchschlagen und mit einer Prise Salz abschmecken.
5. Den Salat auf Tellern anrichten, mit der Marinade übergießen, die Weizenkeime darüber streuen und die Putenstreifen darauf verteilen.
6. Die Brunnenkresse waschen, die Blättchen abzupfen und über den Salat geben, mit Knoblauchbutter und Vollkornbaguette servieren.

Tipp: Anstatt der Putenstreifen können Sie auch Austernpilze braten und über den Salat geben.

Feldsalat mit Birne

Feldsalat wird den ganzen Winter über frisch angeboten. Mit Obst oder Nüssen angerichtet, ist er in dieser Jahreszeit eine gute Vitaminquelle.

Zubereitungszeit: etwa 15 Minuten

Besonders reich an:
Vitamine A, C, E
Beta-Karotin
Folsäure

Zutaten

- 2 Eier
- 250 g Feldsalat
- 1 Bund Petersilie
- 2 Birnen
- 2 EL Kokosflocken
- 200 g Vollmilchjoghurt

- 1 EL Öl
- Salz
- Pfeffer
- 1 Prise Zucker
- 2 EL Curry

1. Die Eier 10 Minuten hart kochen und mit kaltem Wasser abschrecken.
2. Den Salat verlesen und waschen. Die Petersilie waschen, trocknen und klein schneiden.
3. Die Birnen waschen, vierteln, das Kerngehäuse entfernen und das Fruchtfleisch in kleine Würfel schneiden.
4. Die Kokosflocken in einer Pfanne ohne Fett anrösten und beiseite stellen.
5. Für die Salatsauce den Joghurt in eine Schüssel geben, die Petersilie unterrühren und mit Öl, Salz, Pfeffer, Zucker und Curry würzen. Die Birnenwürfel und die Kokosflocken zugeben und alles gut vermischen.
6. Die hart gekochten Eier schälen und vierteln.
7. Den Feldsalat auf Tellern anrichten, mit der Salatsauce übergießen und mit den Eiern dekorieren.

Erdbeer-Spargel-Salat

Sie können das Spargel-Kochwasser beim Abgießen auffangen und für eine Spargelcremesuppe verwenden. Wenn Sie ein paar Spargel mehr kochen, haben sie außerdem eine leckere Einlage für die Suppe.
Zubereitungszeit: etwa 20 Minuten

Für den Salat
- 200 g grüner Spargel
- 1/2 Bund Frühlingszwiebeln
- 250 g frische Erdbeeren

Besonders reich an:
Vitamine C, E
Beta-Karotin
Folsäure

Für das Dressing
- 1 Banane
- 2 EL Zitronensaft
- 125 g saure Sahne
- 1 EL Öl
- 1 Prise Salz
- 1 Prise Koriander
- 1 Prise geriebene Muskatblüte (Macis)

Außerdem
- Zitronenmelisse zum Garnieren

1. Den Spargel vorsichtig abwaschen und die holzigen Enden abschneiden. In einem ausreichend großen Topf ca. 8 Minuten kochen (der Spargel muss nur leicht mit Wasser bedeckt sein), abgießen und beiseite stellen.
2. Für das Dressing die Banane in einer Schüssel zerdrücken und mit Zitronensaft, saurer Sahne und Öl verrühren. Mit Salz, Koriander und Muskatblüte würzen.
3. Für den Salat die Frühlingszwiebeln waschen und in feine Ringe schneiden. Die Erdbeeren waschen, putzen und vierteln.
4. Den Spargel in 3 Zentimeter lange Stücke schneiden und anschließend mit den Frühlingszwiebeln und den Erdbeeren in die Schüssel mit dem Dressing geben. Alles gut mischen.
5. Die Zitronenmelisse waschen, trocknen und hübsche Blättchen abzupfen. Den Salat damit garnieren.

Weintrauben auf Feldsalat

Zubereitungszeit: etwa 15 Minuten

Besonders reich an:
Vitamine A, C
Beta-Karotin

Zutaten

- 150 g Feldsalat
- 100 g rote Trauben
- 100 g weiße Trauben
- 1 Schalotte
- 30 g Walnüsse

- 2 EL Rotweinessig
- 1 TL Senf
- Salz
- Pfeffer
- 3 EL Olivenöl

1. Den Feldsalat verlesen, waschen, trocknen.
2. Die Trauben heiß abspülen und kräftig mit kaltem Wasser waschen. Gut abtropfen lassen.
3. Die Schalotte schälen und fein schneiden, die Walnüsse grob zerkleinern. Aus Essig, Senf, Schalotte, Salz, Pfeffer und Öl eine Marinade herstellen.
4. Die Trauben halbieren, wenn nötig entkernen und zusammen mit dem Salat und den Walnüssen in eine Schüssel geben. Die Salatsauce unterheben.

Weintrauben
auf Feldsalat

Lachstatar auf Friséesalat

Lachs ist zwar ein relativ fetter Fisch, er ist aber gesund und sehr bekömmlich.

Zubereitungszeit: etwa 20 Minuten

Zutaten

- 400 g frischer, roher Lachs
- 2 Schalotten
- 1 Bund Dill
- 1 Limette
- 6 El Olivenöl

- Salz, Pfeffer
- 1 Friséesalat
- 4 EL Balsamessig
- 2 EL Zucker
- 50 g gehobelte Haselnüsse

Besonders reich an:
Vitamine A, B_1, B_6, C, E
Beta-Karotin
Folsäure
Phosphor

1. Den rohen Lachs von allen Gräten befreien und in sehr kleine Stücke schneiden bzw. hacken.
2. Die Schalotten und den Dill klein hacken, die Limette auspressen.
3. Den Lachs in eine Schüssel geben, die Schalotten, den Dill, 3 EL Olivenöl und den Saft der Limette dazugeben. Alles gut vermischen, die Masse mit Salz und Pfeffer abschmecken.
4. Den Friséesalat waschen, abtropfen lassen und zerteilen.
5. Für die Salatmarinade das restliche Olivenöl mit Balsamessig, Salz, Pfeffer und Zucker mischen. Die Marinade sollte süß-sauer schmecken.
6. Die Salatblätter locker auf die Teller verteilen. Das Lachstatar mit einem Löffel zu Nockerln formen und je drei Nockerl auf den Salatblättern anrichten. Mit den gehobelten Haselnüssen bestreuen.

 Expertentipp

»Natives Olivenöl extra« (auch: »kaltgepresstes Olivenöl«) stammt aus der ersten Pressung, ist nicht raffiniert und das hochwertigste Olivenöl. Sein Aroma kommt am besten zur Geltung, wenn es kalt verwendet wird. Zum Braten eignet sich auch eine Mischung aus nativem und raffiniertem Olivenöl, das unter der Bezeichnung »Reines Olivenöl« im Handel ist.

Sandwich mit Ei und Krabben

Zubereitungszeit: etwa 10 Minuten

Besonders reich an:
Vitamine B_1, B_{12}, C,
Beta-Karotin

Zutaten

- 8 Scheiben Vollkornbrot
- 150 g Du-darfst-Krabbensalat
- 4 hart gekochte Eier
- 4 TL geh. Pistazien

- 8 Stangen grüner Spargel
- Zitronensaft
- Salz
- Cayennepfeffer

1. Das Vollkornbrot kurz anrösten. Auf vier Scheiben den Krabbensalat verteilen.
2. Die Eier in Scheiben schneiden und ebenfalls auf die Brote legen. Je 1 TL Pistazien darüber streuen.
3. Den Spargel kurze Zeit in Wasser dünsten, in Stücke schneiden und damit die Brote dekorieren.
4. Mit Zitronensaft beträufeln, salzen und pfeffern.
5. Die weiteren vier Brotscheiben darauf legen und die Sandwiches diagonal durchschneiden.

Sandwich mit Ei
und Krabben

Kalte Tomatensuppe

Diese Tomatensuppe sollte wie alle kalten Suppen nach dem Pürieren sofort serviert werden, da sich das darin enthaltene Vitamin C an der Luft sehr schnell verflüchtigt.

Zubereitungszeit: etwa 20 Minuten

Zutaten

- 600 g Tomaten
- 2 Schalotten
- 1 Knoblauchzehe
- 3 rote Paprikaschoten
- 2 EL Olivenöl
- 200 ml Gemüsebrühe

- Salz
- Pfeffer
- 2 EL Balsamessig
- 1 TL Zucker
- 2 EL saure Sahne
- 1 Bund Basilikum

Besonders reich an:
Vitamine A, B_6, C, E
Beta-Karotin
Folsäure
Natrium

1. Die Tomaten waschen, den Fruchtansatz herausschneiden, an der runden Seite kreuzweise einritzen und mit heißem Wasser übergießen. Die Haut abziehen und das Fruchtfleisch fein hacken.
2. Schalotten und Knoblauch schälen und beides grob hacken.
3. Die Paprika waschen, putzen und in große Stücke schneiden.
4. Das Olivenöl langsam erhitzen, Knoblauch und Schalotten darin kurz andünsten.
5. Tomaten, Paprika, Knoblauch und Schalotten in einen Mixer geben und fein pürieren. Gegebenenfalls etwas Gemüsebrühe dazugeben.
6. Die pürierte Masse in eine Schüssel füllen, den Rest der Gemüsebrühe untermischen und mit Salz, Pfeffer, Balsamessig und der sauren Sahne abschmecken.
7. Das Basilikum grob hacken, in die Suppe geben und das Ganze sofort servieren.

Kalte Gurkensuppe

An heißen Tagen können Sie während des Pürierens klein gehackte Eisstücke in die Gurkensuppe geben. Dadurch wird sie »eis«kalt.

Zubereitungszeit: etwa 20 Minuten

Besonders reich an:
Vitamine A, C
Beta-Karotin
Folsäure
Natrium

Zutaten

- 2 Salatgurken
- 4 Knoblauchzehen
- 125 g Sahnejoghurt
- 1/8 l kalte Hühnersuppe
- 1 Bund Dill

- 100 g Brunnenkresse
- Salz
- Pfeffer
- 4 EL Crème fraîche

1. Die Gurken schälen, halbieren, entkernen (wenn sie große Kerne haben) und in Stücke schneiden.
2. Die Knoblauchzehen schälen, zerdrücken, mit dem Joghurt, der Hühnersuppe und den Gurkenstücken im Mixer pürieren und in eine Schüssel geben.
3. Den Dill und die Brunnenkresse unter fließendem Wasser waschen und leicht trocknen. Den Dill fein hacken, von der Brunnenkresse die Blätter abzupfen.
4. Alles mit der Gurkensuppe vermischen und mit Salz und Pfeffer abschmecken.
5. In Teller füllen und je einen Klecks Crème fraîche dazugeben.

 ## Expertentipp

So sparen Sie Fett

Wenn Sie auf Ihr Gewicht achten müssen, sollten Sie mit Fett sparsam umgehen. Verwenden Sie in diesem Fall bei Joghurt und Quark grundsätzlich die fettarme Variante, und Crème fraîche kann durch saure Sahne ersetzt werden.

Winter-Fruchtsalat mit Avocadosahne

Fruchtsalate können sie in allen erdenklichen Varianten zubereiten. Ob mit heimischen oder exotischen Früchten – probieren Sie, was Ihnen schmeckt.

Zubereitungszeit: etwa 20 Minuten

Für den Salat

- 1 Mango
- 1 Papaya
- 1 Banane
- 2 Kiwis
- 1 Orange

- 1 Schale Laternenfrüchte (Kapstachelbeeren)
- Zucker
- Zimt

Besonders reich an:
Vitamine A, B_6, C, E
Beta-Karotin
Folsäure
Magnesium

Für die Avocadosahne

- 2 reife Avocados
- Saft von 2 Orangen
- 5 EL Puderzucker

- 200 g Sahne
- gehackte Haselnüsse

1. Die Mango und die Papaya schälen, halbieren, die Kerne entfernen und die Früchte in kleine Stücke schneiden.
2. Die Banane schälen und in Scheiben schneiden. Die Kiwis schälen, halbieren und ebenfalls in Scheiben schneiden.
3. Die Orange schälen und filetieren.
4. Die pergamentartigen Blätter der Laternenfrüchte entfernen und die Früchte ganz lassen.
5. Alles in eine Schüssel geben, mit Zucker und Zimt abschmecken.
6. Für die Avocadosahne die Avocados halbieren, den Stein entfernen und das Fruchtfleisch mit einem Löffel auslösen.
7. Das Fruchtfleisch zusammen mit dem Orangensaft und dem Puderzucker in einen Mixer geben und pürieren.
8. Die Sahne steif schlagen und vorsichtig unter das Püree heben.
9. Mit den gehackten Haselnüssen bestreuen und zum Winter-Fruchtsalat servieren.

Omelett mit Quark und Früchten

Zubereitungszeit: etwa 20 Minuten

Besonders reich an:
Vitamine A, B_2, C, E
Beta-Karotin
Phosphor

Für das Omelett

- 100 g Mehl
- 2 Eier
- Salz

- 200–250 ml Vollmilch
- 2 EL Öl

Für die Füllung

- 1 Bund Zitronenmelisse
- 250 g Magerquark
- 1 Pck. Vanillezucker
- Saft von 1 Zitrone

- ca. 500 g Früchte der Saison:
  z. B. Erdbeeren, Brombeeren,
  Himbeeren, Pfirsiche, Äpfel,
  Birnen

Außerdem

- 2 EL Honig
- 2 EL Pistazienkerne

Tipp: Backen sie am besten immer mit Vollwertmehlen, diese enthalten viele Mineralstoffe, Vitamine und Ballaststoffe. Empfehlenswert sind Mehle mit einer Type-Bezeichnung über 1000.

1. Das Mehl in eine Schüssel geben, die Eier, Salz und etwas Milch zugeben und mit einem Mixer zu einem festen Kloß verrühren. Nach und nach die restliche Milch einrühren, bis es ein dickflüssiger Teig wird. Den Teig 1 Stunde ruhen lassen.
2. Die Zitronenmelisse waschen, trocknen, ein paar schöne Blättchen beiseite legen, den Rest klein schneiden.
3. Den Quark in eine Schüssel geben, mit Vanillezucker, Zitronensaft und Zitronenmelisse verrühren.
4. Die Früchte waschen und in mundgerechte Stücke schneiden.
5. In einer Pfanne das Öl erhitzen und die Omeletts bei mittlerer Hitze ausbacken.
6. Auf den fertigen Omeletts den angerührten Quark verteilen, mit Früchten belegen und zusammenklappen. Die Oberseite der Omeletts mit Honig bestreichen, die Pistazienkerne darüberstreuen und mit Melisseblättchen dekorieren.

Omelett mit Quark
und Früchten

Ob Sie Ihre Hauptmahlzeit am Mittag oder am Abend einnehmen, spielt keine Rolle. Wichtig ist nur, dass Sie sich Zeit dafür nehmen, nicht nur für die Zubereitung, sondern auch für das Essen. Dann brauchen Sie nach der Mahlzeit kein Verdauungsschläfchen, sondern sind fit und voller Energie. In diesem Kapitel finden Sie schmackhafte und gesunde Rezepte, die alle leicht nachgekocht werden können. Wenn Sie Ihren Speiseplan zusammenstellen, denken Sie daran: Essen Sie möglichst dreimal die Woche Fisch, zweimal die Woche Fleisch, alle zwei Monate Leber und jeden Tag Gemüse oder Salat.

Schlemmerrezepte

zum Energie-tanken

Grüne Bohnen pikant

Wenn Sie gern scharf essen, nehmen Sie ruhig zwei oder drei Chilischo-
ten – sie sind sehr gesund! Chili enthält den medizinischen Wirkstoff
Capsaicin. Es wirkt verdauungs-, stoffwechsel- und konzentrationsför-
dernd, ist blutbildend und regt den Kreislauf an.
Zubereitungszeit: etwa 25 Minuten

Zutaten

- 800 g grüne Bohnen
- 1 Bund Bohnenkraut
- 100 g Crème fraîche
- Salz
- Pfeffer

- 75 g durchwachsener Speck
- 1 Zwiebel
- 1 rote Chilischote
- 1 EL Olivenöl

Besonders reich an:
Vitamine A, B_1, B_6, C

1. Die Bohnen waschen und putzen (den Faden abziehen) und gegebenenfalls einmal durchschneiden.
2. Das Bohnenkraut waschen, trocknen und zu einem Sträußchen binden.
3. Die Bohnen und das Bohnenkraut in wenig Salzwasser geben und ca.
   30 Minuten miteinander garen. Das Bohnenkraut herausnehmen, die
   Crème fraîche zu den Bohnen geben und mit Salz und Pfeffer abschmecken.
4. Den Speck würfeln und die Zwiebel schälen und klein schneiden. Die
   Chilischote der Länge nach aufschneiden, die Kerne entfernen, schmale Ringe schneiden.
5. Das Olivenöl in einer Pfanne erhitzen, darin Speckwürfel, Chili und
   Zwiebeln anbraten und alles unter die Bohnen mischen.

Rotwein-Quiche

Im Gegensatz zu der klassischen Quiche, die nur mit Speck und Sahne belegt wird, ist dies hier eine wahre Luxus-Quiche – aber ein sehr gesunder Luxus, den Sie sich ruhig öfter gönnen dürfen.

Zubereitungszeit: etwa 50 Minuten

Besonders reich an:
Vitamine A, C, E
Beta-Karotin
Folsäure
Kalzium

Für den Teig
- 200 g Magerquark
- 2 EL Olivenöl
- 4 EL Vollmilch
- 1 Ei
- Salz
- 1 TL Backpulver
- 200 g Weizenvollkornmehl

Für den Belag
- 300 g Schalotten
- 4 Knoblauchzehen
- 4 Tomaten
- 1 Zucchino
- 1 Fenchelknolle
- 250 g Mozzarella
- 4 EL Olivenöl
- 2 EL Zucker
- 2 EL Balsamessig
- 175 ml Rotwein
- Pfeffer
- 1 Bund Thymian
- 2 Rosmarinzweige

1. Quark mit Öl, Milch, Ei und Salz verrühren. Das gesiebte, mit Backpulver gemischte Mehl in die Quarkmasse einarbeiten. Den Teig ca. 1/2 Stunde ruhen lassen.
2. Die Schalotten und die Knoblauchzehen schälen und vierteln.
3. Tomaten und Zucchino waschen, die Tomate achteln und den Zucchino in Streifen schneiden. Den Fenchel putzen, vierteln und ebenfalls in Streifen schneiden. Den Mozzarella in fingerdicke Scheiben schneiden.
4. Olivenöl in einer Pfanne erhitzen, die Schalotten darin leicht anbraten, mit Zucker bestreuen und karamellisieren lassen. Essig und Rotwein zugießen und einkochen lassen.
5. Den Teig ausrollen und eine gefettete Quicheform (oder Springform) damit auslegen.

Rotwein Quiche

6. Schalotten, Zucchini, Tomaten, Fenchel Mozzarella und Knoblauch auf dem Teig verteilen, das Ganze kräftig pfeffern.
7. Die Kräuter waschen, ausschütteln, grob hacken und darüber streuen.
8. Im vorgeheizten Backofen ca. 30 Minuten bei 200 °C (Umluft: 180 °C, Gas: Stufe 3–4) backen, heiß servieren.

Gemüse-Mozzarella-Auflauf
Zubereitungszeit: etwa 45 Minuten

Besonders reich an:
Vitamine A, C
Beta-Karotin
Natrium
Kalzium

Zutaten
- 500 g Strauchtomaten
- 1 Bund Frühlingszwiebeln
- 1 Stange Lauch
- 20 g Ingwer
- 4 Knoblauchzehen
- 250 g Mozzarella

- 1 Bund Basilikum
- 1 Bund Salbei
- Salz
- Pfeffer
- 1 TL Zucker
- 2 EL Hühnerbrühe

1. Die Tomaten waschen und den Fruchtansatz herausschneiden. An der runden Seite kreuzweise einritzen, mit heißem Wasser übergießen und die Haut abziehen. Anschließend vierteln.
2. Die Frühlingszwiebeln putzen, unter fließendem Wasser abspülen und in ca. 3 cm lange Stücke schneiden.
3. Den Lauch ebenfalls putzen, waschen und in schmale Ringe schneiden.
4. Den Ingwer und die Knoblauchzehen schälen und fein hacken. Den Mozzarella würfeln. Die Kräuter waschen, trocknen und grob schneiden.
5. Alle Zutaten vorsichtig vermischen, salzen, pfeffern, Zucker und Hühnerbrühe dazugeben und das Ganze in eine Auflaufform füllen.
6. Die Form mit einem Deckel (oder mit Alufolie) verschließen und den Auflauf im vorgeheizten Backofen auf der mittleren Schiene bei 150 °C (Umluft: 130 °C, Gas: Stufe 1) ca. 30 Minuten garen.

 **Gut zu wissen**

Büffel oder Kuh

Der Mozzarella, den Sie im Supermarkt kaufen können, ist aus Kuhmilch hergestellt und schmeckt sehr mild. Echter Mozzarella ist aus Büffelmilch und hat einen kräftigen Eigengeschmack. Sie bekommen ihn in italienischen Feinkostläden und auf manchen Wochenmärkten.

Birnen-Käse-Auflauf

Dieser Auflauf ist sehr pikant und reich an Vitaminen und Mineralstoffen. Wenn Sie alkoholfrei kochen möchten, ersetzen Sie den Weißwein durch Brühe, dann brauchen Sie aber kein Salz mehr. Anstelle von Emmentaler können Sie auch einen würzigen Bergkäse nehmen.

Zubereitungszeit: etwa 60 Minuten

Zutaten

- 1/2 Vollkornbaguette
- 1/8 l Weißwein
- 750 g Birnen
- 100 g geriebener Emmentaler
- 160 g Edelpilzkäse
- 2 Eier

- 1/8 l Vollmilch
- 125 g Sahne
- Salz, Pfeffer
- 50 g Butter für Butterflöckchen

Besonders reich an:
Vitamine A, B$_2$
Natrium
Kalzium
Phosphor
Zink

1. Das Baguette in fingerdicke Scheiben schneiden und den Boden einer eingefetteten Auflaufform damit auslegen. Mit der Hälfte des Weins beträufeln.
2. Die Birnen schälen, vierteln und das Kerngehäuse entfernen. Die Viertel in Spalten schneiden und die Hälfte davon auf dem Brot verteilen. Mit dem geriebenen Käse bestreuen.
3. Den Edelpilzkäse würfeln und die Hälfte davon in der Auflaufform verteilen.
4. Nochmals Brot in die Form geben, mit dem restlichen Wein tränken. Die restlichen Birnenspalten auf dem Auflauf verteilen, mit dem restlichen Edelpilzkäse bestreuen.
5. Die Eier mit einem Schneebesen verschlagen, Milch und Sahne unterrühren.
6. Das Ganze mit Salz und Pfeffer würzen und über den Auflauf gießen. Die Butterflöckchen darauf verteilen.
7. Bei 200 °C (Umluft: 180 °C, Gas: Stufe 3–4) etwa 40 bis 50 Minuten backen, bis die Oberfläche schön braun ist und die Ei-Milch-Masse vollständig gestockt ist.

Nudeln mit Brombeersauce

Beim Verarbeiten der Chilis sollten Sie äußerst vorsichtig sein, denn sie enthalten eine ätzende Substanz, die Hautreizungen hervorruft. Vor allem sollten Sie keinesfalls mit den Fingern in die Nähe der Augen kommen! Nach dem Hantieren mit Chilis sollten Sie sich sofort und gründlich die Hände waschen, noch besser ist es, wenn Sie mit Küchenhandschuhen arbeiten.

Zubereitungszeit: etwa 30 Minuten

Besonders reich an:
Vitamine A, B_2, C
Folsäure
Magnesium
Eisen

Zutaten

- 350 g Hörnchennudeln
- 1 Bund Frühlingszwiebeln
- 400 g Brombeeren
- 1 rote Chilischote
- 1 EL Butter
- 300 g Sahne
- Salz
- Pfeffer

1. Die Nudeln bissfest kochen, abseihen, gut abtropfen lassen.
2. Die Frühlingszwiebeln putzen, waschen und in feine Ringe schneiden. Einen Teil davon zum Dekorieren zur Seite legen.
3. Die Brombeeren verlesen, waschen, gut abtropfen lassen. Etwa ein Viertel der Beeren beiseite legen.
4. Die Chilischote der Länge nach halbieren, die Kerne entfernen, die Chili möglichst klein schneiden.
5. In einem weiten Topf die Butter erhitzen, Frühlingszwiebeln und Chili darin ca. 5 Minuten andünsten. Die Sahne dazugießen, dann die Beeren in die Sauce geben und bei geringer Hitze mitkochen lassen. Mit Salz und Pfeffer würzen.
6. Die Sauce mit einem Pürierstab pürieren, danach durch ein Sieb streichen, zurück in den Topf geben und bei geringer Hitze noch etwas einkochen lassen.
7. Die Nudeln in die Sauce geben und gut vermischen. Den Rest der Beeren vorsichtig unterheben.
8. Zum Schluss das Gericht mit den zurückbehaltenen Frühlingszwiebeln garnieren.

Nudeln mit
Brombeersauce

Blumenkohl-Auflauf

Die Muskatblüte (Macis) ist der orangebraune, fleischige Samenmantel, der die Muskatnuss umgibt. Macis schmeckt nussähnlich, süßlich-bitter, aber noch feiner als die Nuss selbst. Es verfeinert Rosenkohl, Blumenkohl, Spargel und Kohlrabi. Das enthaltene Myristicin wirkt keimhemmend und durchblutungsfördernd.

Zubereitungszeit: etwa 40 Minuten

Besonders reich an:
Vitamine A, B_6, C
Kalzium
Phosphor
Zink

Zutaten
- 4 große Kartoffeln
- 1 großer Blumenkohl
- 250 g geriebener Emmentaler

Für die Sauce
- 3 EL Butter
- 3 EL Mehl
- 150 ml Milch
- Salz
- Pfeffer
- 1 TL geriebene Muskatblüte (Macis)
- 2 EL gehackte Petersilie

1. Die Kartoffeln waschen und als Pellkartoffeln kochen.
2. Den Blumenkohl in Röschen zerteilen und in kochendem Wasser fünf Minuten blanchieren.
3. In einem Topf die Butter zerlassen, das Mehl einrühren und eine helle Mehlschwitze herstellen. Unter ständigem Rühren die Milch langsam angießen und alles so verrühren, dass keine Klümpchen entstehen. Die Sauce mit geriebener Muskatblüte, Salz und Pfeffer abschmecken.
4. Zum Schluss die Petersilie waschen, trockenschütteln, klein schneiden und in die Sauce rühren.
5. Eine Auflaufform einfetten. Die Kartoffeln schälen, in Scheiben schneiden, die Form damit auslegen und mit Käse bestreuen. Die Blumenkohlröschen darauf legen, wiederum etwas Käse darüber streuen und mit der Sauce übergießen. Den restlichen Käse darauf verteilen.
6. Den Auflauf bei 200 °C (Umluft: 180 °C, Gas: Stufe 3–4) im vorgeheizten Ofen so lange backen, bis der Käse geschmolzen und goldbraun ist.

Pilz-Sauerkraut

Kaufen Sie etwas mehr Sauerkraut, als Sie für das Gericht brauchen. Es schmeckt auch roh sehr lecker und enthält viele Vitalstoffe und wichtige Milchsäurebakterien.

Zubereitungszeit: etwa 70 Minuten

Zutaten

- 50 g getrocknete Steinpilze
- 1 Zwiebel
- 1 Apfel
- 2 EL Schweineschmalz
- 750 g rohes Sauerkraut
- 1 Lorbeerblatt
- 4 Wacholderbeeren
- Salz
- Pfeffer
- 100 ml Gemüsebrühe
- 1 Bund Petersilie
- 250 g saure Sahne

Besonders reich an:
Vitamine A, B_2, C
Beta-Karotin
Natrium

1. Die getrockneten Steinpilze ca. 30 Minuten in kaltem Wasser einweichen, gut ausdrücken und größere Pilze klein schneiden.
2. Die Zwiebel schälen und klein hacken. Den Apfel schälen und in kleine Würfel schneiden.
3. Das Schweineschmalz in einem Topf erhitzen und die Zwiebeln und die Steinpilze darin dünsten. Die Apfelstückchen zugeben, kurz mitdünsten.
4. Das Kraut in den Topf geben, mit Lorbeerblatt, Wacholderbeeren, Salz und Pfeffer würzen und kräftig durchrühren.
5. Mit der Brühe aufgießen und das Sauerkraut ca. 30 Minuten bei geschlossenem Deckel garen.
6. Die Petersilie waschen, trockenschütteln, hacken und etwa 5 Minuten vor Ende der Garzeit zum Sauerkraut geben. Alles gut durchrühren.
7. Ist das Kraut weich, die saure Sahne einrühren und mit Salz und Pfeffer abschmecken.

Provençalisches Gemüse-Allerlei

Zubereitungszeit: etwa 45 Minuten

Besonders reich an:
Vitamine A, C, B$_6$, E
Beta-Karotin
Folsäure

Zutaten

- 250 g rote Paprikaschoten
- 500 g Tomaten
- 2 Zucchini
- 1 Aubergine
- 3 Zwiebeln

- 6 Knoblauchzehen
- 1 Bund Kräuter der Provence
- 2 EL Olivenöl
- Salz
- Pfeffer

1. Das Gemüse waschen, putzen und in etwa 3 Zentimeter große Stücke schneiden.
2. Die Zwiebeln und den Knoblauch schälen und fein würfeln. Die Kräuter waschen, trockenschütteln und grob hacken.
3. Öl in einem Topf erhitzen, die Zwiebeln und den Knoblauch andünsten. Die Paprika dazugeben und ca. 3 Minuten schmoren lassen.
4. Das restliche Gemüse und die Kräuter hineingeben, salzen und pfeffern. Bei geschlossenem Deckel ca. 1/2 Stunde schmoren lassen, wenn nötig etwas Wasser nachgießen. Mit Salz und Pfeffer abschmecken.

Provençalisches
Gemüse-Allerlei

Kartoffelpüree mit Endiviensalat

Die Mischung zwischen warmem Kartoffelpüree und kaltem Salat hat einen ganz besonderen Reiz – dieses Gericht schmeckt ausgesprochen lecker.

Zubereitungszeit: etwa 35 Minuten

Für das Kartoffelpüree

- 1 kg Kartoffeln
- 1/2 l Vollmilch
- 2 Eigelbe

- Salz
- Pfeffer
- Muskatnuss

Besonders reich an:
Vitamine A, B_2, B_6, C
Beta-Karotin
Kalium

Für den Salat

- 2 Schalotten
- 250 g braune Champignons
- 6 EL Olivenöl
- 3 EL Balsamessig

- Salz
- Pfeffer
- 1 TL Zucker
- 2 Endiviensalate

1. Die Kartoffeln säubern und in reichlich Wasser gar kochen.
2. Während die Kartoffeln kochen, für den Salat die Schalotten schälen und fein hacken, die Pilze putzen und achteln.
3. 2 EL Öl in einer Pfanne erhitzen, Schalotten und Pilze anbraten.
4. Aus Schalotten, Pilzen, Balsamessig, 4 EL Olivenöl, Salz, Pfeffer und Zucker eine Marinade herstellen.
5. Den Endiviensalat putzen, unter fließendem Wasser waschen und in Streifen schneiden. Den Salat mit der Marinade vermischen.
6. Wenn die Kartoffeln gar sind, das Wasser abschütten, die Kartoffeln schälen und durch die Kartoffelpresse drücken oder stampfen.
7. Die Milch in einem Topf erwärmen – sie darf aber nicht kochen.
8. Die Eigelbe mit der warmen Milch verquirlen und unter die Kartoffeln geben, sodass ein cremiger Brei entsteht. Mit Salz, Pfeffer und Muskatnuss abschmecken.
9. Zum Schluss das warme Kartoffelpüree unter den Salat mischen und sofort servieren.

Brokkoli-Blumenkohl-Auflauf

Zubereitungszeit: etwa 40 Minuten

Besonders reich an:
Vitamine A, B$_2$, C
Beta-Karotin
Folsäure
Kalzium

Zutaten

- 400 g Brokkoli
- 700 g Blumenkohl
- 200 g Möhren

- 2 EL Butter
- 1/8 l Gemüsebrühe

Für die Sauce

- 1 EL Butter
- 30 g Mehl
- 250 g Sahne
- 1/8 l Milch (1,5 %)

- 120 g geriebener Emmentaler
- Salz
- Pfeffer
- Muskatnuss

Außerdem

- 400 g Austernpilze

- 2 EL Butter

1. Den Brokkoli waschen, abtropfen lassen, die äußeren Blätter entfernen und in Röschen zerteilen. Den Blumenkohl waschen, abtropfen lassen, den Strunk herausschneiden und ebenfalls in Röschen zerteilen. Die Möhren schälen und in Scheiben schneiden.
2. Die Möhren in 2 EL Butter andünsten, Blumenkohl- und Brokkoliröschen dazugeben, mit der Brühe aufgießen und ca. 7 Minuten garen.
3. Für die Sauce 1 EL Butter zerlassen, das Mehl dazugeben und bei mittlerer Hitze anschwitzen. Unter Rühren Sahne und Milch dazugießen, alles aufkochen lassen. Den geriebenen Emmentaler unterrühren und mit Salz, Pfeffer und Muskatnuss abschmecken.
4. Das Gemüse in eine Auflaufform geben und mit der Sauce übergießen. Im Backofen bei 200 °C (Umluft: 180 °C, Gas: Stufe 3–4) ca. 15 Minuten knusprig überbacken.
5. Die Austernpilze putzen und zerteilen. 2 EL Butter erhitzen und die Pilze darin bei geringer Hitze anbraten, bis sie gar sind. Mit Salz und Pfeffer abschmecken und zum Auflauf servieren.

Bratwurst auf Rahmwirsing

Je dunkler die Blätter eines Gemüses sind, desto mehr Vitamine enthalten sie. Der dunkelgrüne Wirsing ist also sehr gesund. Servieren Sie zu diesem Gericht Salzkartoffeln oder Kartoffelpüree.
Zubereitungszeit: etwa 30 Minuten

Zutaten

- 750 g Wirsing
- 1 Zwiebel
- 3 EL Butter
- 1/8 l Fleischbrühe
- 1 EL Mehl

- 100 g Sahne
- Salz
- schwarzer Pfeffer
- Muskatnuss
- 4 Bratwürste (à 150 g)

Besonders reich an:
Vitamine B_1, B_6, C, E
Natrium

1. Den Wirsing putzen, die äußeren Blätter entfernen (nur wenn sie verschmutzt oder angegriffen sind), in einzelne Blätter zerteilen, die harten Innenrippen herausschneiden und die Blätter in Streifen schneiden.
2. Die Zwiebel schälen und würfeln. Die Butter in einem Topf erhitzen und die Zwiebelwürfel darin glasig dünsten. Den Wirsing zugeben, mit der Fleischbrühe aufgießen und zugedeckt 20 Minuten garen.
3. Das Mehl mit der Sahne verrühren und den Wirsing damit binden. Nochmals aufkochen lassen und mit Salz, frisch gemahlenem Pfeffer und Muskatnuss abschmecken.
4. Die Bratwürste in der Pfanne braten, zusammen mit dem Wirsing servieren.

Gut zu wissen

Zu jeder Jahreszeit

Wirsing ist eine der wenigen Gemüsesorten, die fast das ganze Jahr über erhältlich ist – von Mai bis Februar. In den restlichen Monaten kann man ihn tiefgekühlt kaufen.

Schweinefilet mit Fenchel im Teigbett

Zubereitungszeit: etwa 70 Minuten

Besonders reich an:
Vitamine A, B$_1$, C, E
Beta-Karotin

Zutaten

- 500 g Schweinefilet
- Öl
- Salz, Pfeffer
- 2 Fenchelknollen
- Fenchelgrün

- 3 Orangen
- 200 g Sahne
- 150 g Edelpilzkäse
- 3 Eigelbe
- 2 EL Orangensaft

Für den Teig

- 150 g Magerquark
- 100 ml Vollmilch
- 100 ml Öl

- Salz, Pfeffer
- 300 g Vollkornmehl
- 1 Pck. Backpulver

1. Für den Teig Quark, Milch, Öl, Salz und Pfeffer gut verrühren. Mehl und Backpulver mischen und darunter kneten. Das Ganze zu einem glatten Teig verarbeiten, im Kühlschrank ca. 1 Stunde ruhen lassen.
2. Das Schweinefilet in etwas Öl ca. 10 Minuten von allen Seiten anbraten, herausnehmen, salzen, pfeffern und warm stellen.
3. Den Fenchel putzen, waschen, in feine Scheiben schneiden. Das Fenchelgrün waschen, trocknen und klein schneiden. Die Orangen schälen, filetieren und beiseite stellen.
4. Zwei Drittel des Teiges auf einer bemehlten Arbeitsfläche ausrollen, eine längliche, eingefettete Auflaufform damit auslegen.
5. Das Fleisch in Scheiben schneiden und auf den Teig geben, die Orangen, den Fenchel und das Fenchelkraut auf dem Fleisch verteilen.
6. Die Sahne erwärmen und den Käse darin schmelzen. Zwei Eigelbe mit dem Saft verrühren, in die Sauce geben und über den Auflauf gießen.
7. Den Restteig zu einer Kordel drehen und den Teigrand damit verzieren. Ein Eigelb mit 1 EL Wasser verquirlen und den Teigrand damit bestreichen. Den Auflauf bei 175 °C (Umluft: 155 °C, Gas: Stufe 2) ca. 40 Minuten backen.

Schweinefilet
mit Fenchel

Leber mit Sternanis

Leber ist die beste Quelle für Vitamin A. Dieses Vitamin wird in unserem Körper gespeichert, darum reicht es aus, alle zwei Monate Leber zu essen. Verwenden Sie nur absolut frische Leber, möglichst ökologischer Herkunft.

Zubereitungszeit: etwa 20 Minuten

Zutaten
- 600 g Schweineleber

Für die Marinade
- 1 EL Sojasauce
- 2 EL Worcestersauce
- 2 EL trockener Sherry
- Salz
- 2 ganze Sternanis
- 2 EL Honig

Für die Sauce
- 2 Bund Frühlingszwiebeln
- 3 EL Sesamöl
- 2 EL Speisestärke
- 1/8 l Gemüsebrühe
- 2 EL Sojasauce
- 1 EL trockener Sherry
- Salz
- Pfeffer

1. Die Leber waschen, trocknen und in ca. 3 cm große Stücke schneiden. In einer Schüssel Sojasauce, Worcestersauce, Sherry, Salz, Sternanis und Honig gut verrühren. Die Leberstücke zugeben, umrühren und zugedeckt ca. eine Stunde im Kühlschrank ziehen lassen, ab und zu durchrühren.
2. Die Frühlingszwiebeln putzen, waschen und in 3 cm lange Stücke schneiden. Das Sesamöl erhitzen und die Frühlingszwiebeln andünsten.
3. Die Leberstücke ohne Marinade zugeben, mit der Speisestärke bestäuben und immer wieder durchrühren. Sie sollen schön knusprig braun werden. Anschließend mit der Marinade und der Gemüsesbrühe aufgießen. Die Sauce köcheln lassen, bis sie sämig ist.
4. Mit Sojasauce, Sherry, Salz und Pfeffer abschmecken.

Hühnerleber mit Orangensauce

Dieses Gericht ist ein Genuss für Liebhaber exotischer Küche. Die chinesische Gewürzmischung Fünf-Gewürze-Pulver besteht aus fünf bis sieben Gewürzen, unter anderem Zimt, Anispfeffer, Sternanis, Nelken und Fenchelsamen. Das gibt dem Ganzen einen etwas süßlichen Geschmack.
Zubereitungszeit: etwa 25 Minuten

Zutaten

- 500 g Hühnerleber
- 4 Frühlingszwiebeln
- 2 Knoblauchzehen
- 2 Orangen (unbehandelt)
- 2 EL Olivenöl
- 200 ml Gemüsebrühe
- 2 EL Orangensaft

- 2 EL helle Sojasauce
- 1 FL Speisestärke
- 1/2 TL Fünf-Gewürze-Pulver
- Salz
- Pfeffer
- einige Spritzer Worcestersauce
- 1 TL brauner Zucker

Besonders reich an:
Vitamine A, B_2
Folsäure

1. Die Leber unter fließendem Wasser waschen, trocknen und mit einem scharfen Messer häuten.
2. Die Frühlingszwiebeln putzen, waschen und in ca. 3 cm lange Stücke schneiden, den Knoblauch schälen und klein schneiden.
3. Die Orangen mit heißem Wasser waschen, trocknen und die Schale einer Orange dünn abreiben. Anschließend beide Früchte schälen, filetieren und in kleine Stücke schneiden.
4. Öl in einer Pfanne erhitzen und darin den Knoblauch und die Frühlingszwiebeln unter Rühren anbraten. Die Leberstückchen zugeben und ca. zwei Minuten mitbraten.
5. Die Orangenstücke zusammen mit der abgeriebenen Orangenschale unterrühren. Mit der Brühe aufgießen und drei Minuten bei geringer Hitze weiterkochen lassen.
6. Den Orangensaft und die Sojasauce mit der Speisestärke vermischen und zu der Leber geben. Kurz aufkochen lassen.
7. Mit dem Fünf-Gewürze-Pulver, Salz, Pfeffer, Worcestersauce und braunem Zucker abschmecken.

Gefülltes Rinderfilet auf Fenchelgemüse

Die nussige Füllung der Rinderfilets bildet einen reizvollen Kontrast zu dem kräftigen Geschmack des Fenchels. Servieren Sie Naturreis dazu.
Zubereitungszeit: etwa 50 Minuten

Besonders reich an:
Vitamine A, C, E
Beta-Karotin
Natrium
Zink

Zutaten

- 600 g Rinderfilet
- 80 g Walnusskerne
- 1 Eiweiß
- Salz
- Pfeffer
- 2 TL Senf

- 2 EL Öl
- 200 g Crème fraîche
- 2 EL Mehl
- 300 ml Rinderbrühe
- 2 Fenchelknollen
- 2 EL Butter

1. Das Rinderfilet waschen und trockentupfen.
2. Die Walnüsse fein hacken. Das Eiweiß steif schlagen, mit der Hälfte der Nüsse verrühren und mit Salz und Pfeffer abschmecken.
3. In das Filet der Länge nach eine Tasche schneiden und diese mit der Nussmischung füllen. Mit Holzstäbchen (kleine Spieße oder Zahnstocher) zusammenstecken und das Filet mit Salz und Pfeffer würzen. Anschließend das gefüllte Filet mit Senf bestreichen.
4. In einem Bratentopf Öl erhitzen und das Filet ringsum anbraten.
5. Die Crème fraîche mit Mehl anrühren und mit der Brühe zum Fleisch geben. Das Fleisch 15 Minuten schmoren lassen, ab und zu wenden.
6. Die Sauce mit Salz und Pfeffer würzen und evtl. mit etwas Senf abschmecken. Die restlichen Walnüsse einrühren. Das Fleisch aus der Pfanne nehmen und die Sauce nochmals kurz aufwallen lassen. Die Holzstäbchen aus dem Fleisch entfernen.
8. Den Fenchel putzen, vierteln und in kochendem Wasser 3 bis 4 Minuten blanchieren.
9. Butter in einer Pfanne erhitzen, die Fenchelstücke darin leicht anbraten und mit Salz und Pfeffer würzen.
10. Das Filet in Scheiben schneiden, mit dem Fenchelgemüse und der Sauce auf Tellern anrichten.

Rinderfilet mit
Fenchelgemüse

Rosenkohl mit Lammkoteletts

Rosenkohl enthält sehr viel Eiweiß, Vitamin K, Vitamin B_6 und Folsäure. Sie können ihn fast überall als Tiefkühlprodukt kaufen.

Zubereitungszeit: etwa 45 Minuten

Besonders reich an:
Vitamine B_6, C, E
Beta-Karotin
Folsäure
Zink

Zutaten

- 1 kg Rosenkohl
- 2 Schalotten
- 50 g durchwachsener Speck
- 2 EL Öl
- Salz

- Pfeffer
- 2 Rosmarinzweige
- 2 Knoblauchzehen
- 4 Lammkoteletts (à 150 g)

1. Mit einem scharfen Messer den Strunk von den Rosenkohlröschen abschneiden und drei bis vier der äußeren Blätter entfernen. Am Strunk kreuzweise einschneiden.
2. Die Schalotten schälen und in Würfel schneiden. Den Speck ebenfalls in Würfel schneiden.
3. Öl in einem Topf erhitzen, darin die Schalotten und die Speckwürfel anbraten. Den Rosenkohl dazugeben und das Ganze mit Salz und Pfeffer würzen. Mit etwas Wasser aufgießen, einen Rosmarinzweig auf den Rosenkohl geben, den Topf mit einem Deckel verschließen und ca. 20 Minuten dünsten.
4. Die Knoblauchzehen schälen und in dünne Scheiben schneiden. Den verbliebenen zweiten Rosmarinzweig in vier Teile schneiden.
5. Kurz bevor der Rosenkohl gar ist, die Lammkoteletts salzen und pfeffern, Öl in einer Pfanne erhitzen und die Koteletts hineinlegen. Nach ca. drei Minuten wenden und die Knoblauchscheiben und den Rosmarin auf die Lammkoteletts verteilen.
6. Auf Tellern anrichten und servieren.

Kalbsfrikassee mit frischen Erbsen

Servieren Sie das Kalbsfrikassee mit einer Mischung aus Natur- und Wildreis. Naturreis enthält – im Gegensatz zu geschälten und polierten Reissorten – noch alle Vitamine und Mineralstoffe.

Zubereitungszeit: etwa 75 Minuten

Zutaten

- 800 g Kalbfleisch
- 2 Knoblauchzehen
- 1 Zwiebel
- 1 kleine Stange Lauch (150 g)
- 1 Möhre
- 1 Lorbeerblatt
- 600 g frische Erbsen

- 1 EL Mehl
- 1 EL Butter
- 2 Eigelbe
- 125 g saure Sahne
- 1 EL Zitronensaft
- Salz
- Pfeffer

Besonders reich an:
Vitamine A, B$_2$, B$_6$
Beta-Karotin
Eisen
Zink

1. Das Kalbfleisch in einen Topf geben und so viel Wasser einfüllen, dass das Fleisch bedeckt ist.
2. Die Knoblauchzehen und die Zwiebel schälen, die Zwiebel vierteln. Den Lauch und die Möhre waschen, putzen und in grobe Stücke schneiden. Alles gemeinsam mit dem Lorbeerblatt zu dem Kalbfleisch geben und ca. 60 Minuten garen lassen.
3. Die Erbsen aus den Schoten lösen und beiseite stellen.
4. Das Fleisch etwas abkühlen lassen und in mundgerechte Würfel schneiden.
5. Die Fleischbrühe durch ein Sieb gießen und in den Topf zurück geben, um die Sauce zu bereiten.
6. Mehl und weiche Butter miteinander verkneten, in die Brühe geben und unter kräftigem Rühren aufkochen. Die Erbsen und die Fleischstückchen hinzufügen und bei geringer Hitze ca. 10 Minuten in der Sauce garen lassen.
7. Die Eigelbe mit der sauren Sahne verquirlen und in die Sauce einrühren; dabei darf die Sauce nicht mehr aufkochen. Zum Schluss mit Zitronensaft, Salz und Pfeffer abschmecken.

Entenbrüstchen auf Grünkohl

Die feinen Entenbrüstchen bilden einen köstlichen Kontrast zu dem kräftigen Grünkohl.

Zubereitungszeit: etwa 50 Minuten

Besonders reich an:
Vitamine A, B_1, B_6, C, E
Beta-Karotin

Zutaten

- 4 Entenbrüstchen
- Salz
- Pfeffer
- 2 EL Öl
- 1 kg Grünkohl

- 1 Zwiebel
- 50 g Gänseschmalz
- 1/8 l Fleischbrühe
- 20 g Haferflocken

1. Die Entenbrüstchen salzen und pfeffern. Öl in einem Topf erhitzen und das Fleisch darin von beiden Seiten knusprig anbraten.
2. Den Grünkohl putzen, waschen, in einzelne Blätter zerteilen. Die Blätter in Streifen schneiden.
3. Die Zwiebel schälen und würfeln. Das Gänseschmalz in einem Topf erhitzen und die Zwiebelwürfel darin glasig dünsten. Den Grünkohl zugeben, nach und nach mit der Fleischbrühe aufgießen und zugedeckt 45 Minuten garen.
4. Zum Schluss die Haferflocken über den Kohl streuen, unterrühren, mit Salz und Pfeffer abschmecken.
5. Den Grünkohl mit den Entenbrüstchen auf Tellern anrichten.

 Expertentipp

Schockfroster

Grünkohl ist ein Wintergemüse, das erst dann richtig schmeckt, wenn es mindestens einmal dem Frost ausgesetzt war. Diesen Effekt können Sie auch erreichen, indem Sie ihn nach dem Ernten in Ihr Tiefkühlgerät legen und für kurze Zeit einfrieren.

Rotkohl mit Putenkeule

Das Rezept ist etwas aufwendig, aber es lohnt sich. Die Putenkeulen, mit Kartoffelnknödeln serviert, sind ein wahrer Festschmaus.

Zubereitungszeit: etwa 2 Stunden

Zutaten

- 1 großer Rotkohl
- 2 Zwiebeln
- 3 EL Gänseschmalz
- 400 ml Rotwein
- 4 Wacholderbeeren
- 1 Lorbeerblatt
- Salz
- Pfeffer
- 4 Putenkeulen
- 2 EL Öl
- 2 Äpfel
- 3 EL Preiselbeerkompott
- Essig

Besonders reich an:
Vitamine B_6, C, E
Eisen
Zink

1. Den Rotkohl putzen, die äußeren Blätter entfernen und den Strunk herausschneiden. Den Kohl halbieren, in feine Streifen schneiden und in eine Schüssel geben.
2. Die Zwiebeln abziehen und klein schneiden.
3. Das Gänseschmalz zerlassen, die Zwiebeln darin andünsten und den Rotkohl dazugeben. Den Rotwein dazugießen, die Wacholderbeeren und das Lorbeerblatt zugeben, mit Salz und Pfeffer abschmecken. Bei geringer Hitze ca. 1 1/2 Stunden zugedeckt garen, zwischendurch gelegentlich umrühren.
4. Die Putenkeulen abwaschen und trockentupfen. Mit Salz und Pfeffer einreiben und auf ein Backblech legen. Etwa 40 Minuten bei 180 °C im Ofen braten, die Putenkeulen dabei hin und wieder mit etwas Öl bepinseln.
5. Die Äpfel waschen, schälen und das Kerngehäuse entfernen. Die Äpfel klein schneiden und ca. 20 Minuten vor Ende der Garzeit zum Kohl in den Topf geben.
6. Vor dem Servieren das Preiselbeerkompott untermischen und je nach Geschmack mit etwas Essig abschmecken.
7. Den Rotkohl mit den Putenkeulen servieren.

Estragon-Hähnchen mit Fenchel

Wenn Sie die Hähnchen dressieren, behalten sie ihre Form und lassen sich leichter tranchieren. Verwenden Sie dafür Küchengarn und eine Dressiernadel.

Zubereitungszeit: etwa 1 Stunde 15 Minuten

Besonders reich an:
Vitamine A, B$_6$, C, E
Beta-Karotin
Natrium

Zutaten

- 2 Hähnchen (à 1 kg)
- Salz
- Pfeffer
- 2 Bund Estragon
- 2 EL Öl
- 1/2 l Hühnerbrühe
- 100 g Crème fraîche
- 2 EL Mehl
- 4 Fenchelknollen
- 3 Knoblauchzehen
- 2 EL Butter

1. Die Hähnchen waschen, trocknen und mit Salz und Pfeffer innen und außen einreiben.
2. Den Estragon waschen, trockenschütteln und die Blätter von den Stielen zupfen. Die Stiele fein hacken.
3. Öl in eine Auflaufform geben, die Hähnchen hineinlegen und im Backofen bei 180 °C (Umluft: 160 °C, Gas: Stufe 2–3) ca. 15 Minuten garen. Die Brühe und den Estragon dazugeben und weitere 30 Minuten schmoren, bis die Hähnchen weich sind.
4. Die Hähnchen aus der Auflaufform nehmen und warm stellen. Die Crème fraîche mit dem Mehl vermischen, in den Bratenfond einrühren und mit Salz und Pfeffer abschmecken.
5. Den Fenchel putzen, waschen und in vier Teile zerteilen. Wasser erhitzen und den Fenchel ca. 8 Minuten im kochenden Wasser garen, herausnehmen und trocknen lassen.
6. Die Knoblauchzehen abziehen und fein hacken. Die Butter erhitzen, den Knoblauch und den Fenchel dazugeben und ca. 10 Minuten bei geringer Hitze braten.
7. Die Hähnchen zerteilen, mit dem Fenchel auf Tellern anrichten und die Hähnchenteile mit der Sauce übergießen.

Rotbarsch mit grünen Bohnen

Zubereitungszeit: etwa 35 Minuten

Zutaten

- 600 g Rotbarschfilet
- Saft von 1 Zitrone
- Salz, Pfeffer
- 500 g grüne Bohnen

- 2 Schalotten
- 3 EL Olivenöl
- 1/8 l Geflügelbrühe
- 1 Bund Bohnenkraut

Besonders reich an:
Vitamine B$_6$, C
Natrium
Magnesium
Phosphor

1. Die Fischfilets waschen, trocknen und klein schneiden. Mit Zitronensaft beträufeln, salzen, pfeffern und kühl stellen.
2. Die Bohnen waschen und den Faden entfernen, evtl. durchbrechen. Die Schalotten schälen und hacken.
3. Das Öl in einem Topf erhitzen und die Schalotten darin anschwitzen. Dann die Bohnen dazugeben, etwas Brühe angießen, das gewaschene Bohnenkraut darauf legen und 10 bis 15 Minuten dünsten. Sobald die Flüssigkeit verkocht ist, wieder etwas Brühe dazugeben. Abschmecken
4. Den Fisch auf das Gemüse legen und zugedeckt bei schwacher Hitze 10 Minuten ziehen lassen.

Rotbarsch mit
grünen Bohnen

Gedünstete Lachsforelle auf Gartengemüse

Beim Zubereiten von Fisch brauchen Sie etwas Fingerspitzengefühl. Fisch hat eine sehr kurze Garzeit. Wird er zu lange – oder zu heiß – gegart, wird er trocken und fällt auseinander.

Zubereitungszeit: etwa 45 Minuten

Besonders reich an:
Vitamine A, B_6, C, E
Beta-Karotin
Phosphor

Zutaten

- 1 Lachsforelle (ca. 2 kg)
- Saft von 1 Zitrone
- Salz
- Pfeffer
- 1 mittelgroßer Zucchino
- 1 Kohlrabi

- 2 große Möhren
- 1 Bund Frühlingszwiebeln
- 1 Bund Dill
- 2 EL Butter
- 50 ml Brühe
- Zucker

1. Die Lachsforelle waschen, säubern und filetieren. Jedes Filet längs in zwei schmale Streifen schneiden.
2. Aus den Filetstreifen jeweils einen Knoten formen, mit Zitronensaft beträufeln, mit je einer Prise Salz und Pfeffer würzen und in den Kühlschrank stellen.
3. Den Zucchino waschen und in Streifen schneiden. Kohlrabi und Möhren schälen, den Kohlrabi klein würfeln und die Möhren in dünne Scheiben schneiden.
4. Die Frühlingszwiebeln halbieren und in breite Stücke schneiden. Den Dill waschen und grob hacken.
5. Die Butter in einem weiten Topf oder Wok erhitzen, das Gemüse hineingeben und leicht andünsten. Mit der Brühe ablöschen und je eine Prise Salz, Pfeffer und Zucker und etwas Dill dazugeben.
6. Die Lachsfilets auf das Gemüse setzen, den Topf mit einem Deckel verschließen und alles ca. 10 Minuten dünsten.
7. Danach die Lachsfilets vorsichtig vom Gemüse herunternehmen und warm stellen. Das Gemüse abschmecken und auf Tellern anrichten, die geknoteten Lachsfilets darauf setzen und servieren.
6. Dazu reichen Sie frisches Baguette.

Lachsforelle auf
Gartengemüse

Fischtopf

Statt Seelachs können Sie auch andere Fischarten verwenden. Mit dem Seelachs verwandt sind zum Beispiel Kabeljau, Seehecht und Schellfisch.

Zubereitungszeit: etwa 40 Minuten

Besonders reich an:
Vitamine A, C, E
Beta-Karotin
Magnesium

Zutaten

- 700 g Seelachsfilet
- Saft von 1 Zitrone
- Salz
- Pfeffer
- 1 Fenchelknolle
- 4 Kartoffeln
- 1 Kohlrabi
- 400 g grüne Bohnen

- 2 Zwiebeln
- 4 Knoblauchzehen
- 1 rote Chilischote
- je ein paar Zweige Thymian, Basilikum und Rosmarin
- 2 EL Öl
- 1/8 l Fischfond

1. Die Fischfilets waschen, abtropfen lassen, in 3 cm große Stücke schneiden, mit Zitronensaft beträufeln, salzen, pfeffern und in den Kühlschrank stellen.
2. Den Fenchel putzen, halbieren und in Streifen schneiden.
3. Die Kartoffeln und den Kohlrabi schälen und in Würfel schneiden.
4. Die Bohnen waschen, putzen (den Faden abziehen) und gegebenenfalls einmal schräg durchschneiden.
5. Die Zwiebeln und die Knoblauchzehen schälen und fein hacken.
6. Die Chilischote aufschneiden, die Kerne entfernen, die Schote in feine Streifen schneiden.
7. Die Kräuter abwaschen, trockenschütteln und grob hacken.
8. Öl in einem Topf erhitzen, die Zwiebeln und den Knoblauch andünsten und das Gemüse und die Kartoffeln zugeben. Mit Salz, Pfeffer und den Kräutern würzen. Mit dem Fischfond aufgießen und ca. 15 Minuten bei geringer Hitze weiterkochen lassen.
9. Die Hitze reduzieren, den Fisch auf das Gemüse legen und 10 Minuten garen. Nochmals abschmecken, auf Tellern anrichten und mit frischem Baguette servieren.

Register

Rezeptregister

Birnen-Käse-Auflauf 55
Blumenkohl-Auflauf 58
Bratwurst auf Rahmwirsing 63
Brokkoli-Blumenkohl-Auflauf 62

Entenbrüstchen auf Grünkohl 72
Erdbeer-Müsli 34
Erdbeer-Spargel-Salat 41
Estragon-Hähnchen mit Fenchel 74

Feldsalat mit Birne 40
Fischtopf 78
Frischkäse-Aufstrich 34

Gemüse-Mozzarella-Auflauf 54
Grüne Bohnen pikant 51
Gurkensuppe, kalte 46

Hühnerleber mit Orangensauce 67

Kalbsfrikassee mit frischen Erbsen 71
Kartoffelpüree mit Endiviensalat 61
Kartoffelsalat, bunter 37

Lachsforelle auf Gartengemüse,
  gedünstete 76
Lachstatar auf Friséesalat 43
Leber mit Sternanis 66

Mangodrink 33

Nudeln mit Brombeersauce 56

Omelett mit Quark und Früchten 48
Orangen-Müsli 33

Pilz-Sauerkraut 59
Provençalisches Gemüse-Allerlei 60

Rinderfilet auf Fenchelgemüse, gefülltes 68
Rosenkohl mit Lammkoteletts 70
Rotbarsch mit grünen Bohnen 75
Rotkohl mit Putenkeule 73
Rotwein-Quiche 52

Salat mit pochiertem Ei, gemischter 36
Salat mit Putenstreifen 39
Sandwich mit Ei und Krabben 44
Schweinefilet mit Fenchel im Teigbett 64

Tomatensuppe, kalte 45

Weintrauben auf Feldsalat 42
Winter-Fruchtsalat mit Avocadosahne 47

Sachregister

Antioxidanzien 8
Ascorbinsäure 17

Beta-Karotin 10
Biotin 16

Calciferol 11
Chlor 20
Chrom 22
Cobalamin 14

Einkauf 27
Eisen 23
Ergänzungspräparate 6

Fluor 23
Folsäure 15
Freie Radikale 8

Garmethoden 31

Jod 24

Kalium 20
Kalzium 21
Kobalt 24
Kräuter 28, 29
Küchengerät 30
Kupfer 24

Magnesium 22
Mangan 24
Mengenelemente 20ff.

Mineralstoffe 18ff.
– Definition 18
– Einteilung 19
– Tagesbedarf 19
Mineralstoffmangel 6
Molybdän 25

Natrium 20
Niacin 15

Pantothensäure 16
Phosphor 21
Phyllochinon 12
Provitamine 7
Pyridoxin 14
Retinol 10
Riboflavin 13

Schwefel 21
Selen 25
Spurenelemente 22ff.

Thiamin 13
Tiefkühlkost 27
Tocopherol 11

Vitalstoffe 6
Vitamin A 10
Vitamin B_1 13
Vitamin B_{12} 14
Vitamin B_2 13
Vitamin B_6 14
Vitamin C 17
Vitamin D 11
Vitamin E 11
Vitamin K 12
Vitamine 7ff.
– Definition 7
– fettlösliche 10ff.
– Tagesbedarf 9
– wasserlösliche 12ff.
Vitaminmangel 6

Zink 25
Zubereitung 29

Impressum

Die Autoren

Gerhard Poggenpohl ist ausgebildeter Koch, hat sich auf gesunde Ernährung spezialisiert und ist seit vielen Jahren als Foodfotograf und freier Autor tätig.

Christoph Haller ist Biologe und arbeitet am Institut für Mikrobiologie und Biotechnologie der Universität Wien.

Wichtiger Hinweis

Bildnachweis

Umschlagfoto: DU DARFST
Fotos: DU DARFST S. 1, 44; gettyone stone/Chris Craymer S. 2; Franz Leipold S. 3; Stone/ James Darrel S. 4; alle übrigen: Gerhard Poggenpohl

Impressum

Die Deutsche Bibliothek – CIP-Einheitsaufnahme

Ein Titeldatensatz für diese Publikation ist bei der Deutschen Bibliothek erhältlich.

Midena Verlag, München
© 2002 Weltbild Ratgeber Verlage GmbH & Co.KG
Alle Rechte vorbehalten

Projektleitung: Franz Leipold
Redaktion: Annette Gillich, Essen
Herstellung: Gabriele Schnitzlein
Bildredaktion: Sylvie Busche (Ltg.), Kirsten Dieckerhoff
Umschlagkonzeption: H3A GmbH, München
Gesamtlayout: Hovedkvarteret, Kopenhagen; H3A GmbH und Andreas Hubert, München
Satz: H3A GmbH, München
Reproduktion: kaltnermedia GmbH, Bobingen
Printed in Italy

ISBN 3-310-00679-4

Gedruckt auf elementar chlorfrei gebleichtem Papier